Goosebumps™

鸡皮疙瘩

系列丛书

JINZITA ZHOUYU · YINSHEN MOJING

金字塔咒语●隐身魔镜

[美] R.L.斯坦 著 蒋向艳 译

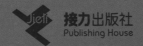

接力出版社
Publishing House

目 录

 ## 金字塔咒语

隐身魔镜

"鸡皮疙瘩"预告

欢迎来到"鸡皮疙瘩"俱乐部

致中国读者

中国的读者朋友们，你们好！

听说大家很喜欢我的书，我很开心。

我觉得，要让孩子们认识到他们可以到书里去寻找乐趣，这一点非常重要，并且，我还要让他们接触到惊悚的内容，但同时又有安全感。在这些惊悚的场景里我加入了一些幽默元素，这样小朋友们在开怀大笑的同时又有一点点紧张。

很多小朋友觉得交朋友是件很难的事儿，总是奇怪为什么别的小朋友在这方面好像更加轻松容易。对于腼腆的小朋友们，我的建议就是找到你喜欢做的事儿——不管是写作啦，还是运动啦，或者是玩游戏啦，等等。

做这些事儿，会带来两个益处。首先，你可能会遇到别的和你有同样兴趣的小朋友。其次，如果你真的对什么感兴趣，那么你谈论起来时就会轻松自如。

　　我从来就没停止过和孩子们的交流，我认为重要的是要让孩子们去寻找自己的方式。我提倡小朋友们多读书，找到自己感兴趣的可以轻松自如地谈论的内容。

　　我认为家长和老师倾听孩子的声音非常重要。有些孩子愿意和父母交流自己的感受，但有些却不愿意。有的时候他们虽然在说一些看似无关紧要的事情，但对于他们自己来说却很重要。

　　我希望有机会能来中国，见见大家，参观一下这个充满魅力的国度。我很喜欢龙，我一定会好好构思一个关于龙的精彩故事。

　　到北京看看是我心驰神往的事情。我住在纽约市的中心，但我可以打赌，北京肯定会让人感觉更大——哪怕是对于像我一样习惯了纽约的人来说也是如此。

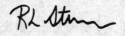

智者的心灵历险（序一）

首都师范大学教授　著名儿童文学作家、诗人

国际安徒生奖提名奖获得者　金　波

　　人当少年时，智慧大增，却更加渴望心灵历险，愿意体验一下"恐怖"的刺激。那感觉，让我想起坐上"过山车"的游戏，惊险中嗷嗷的呼叫声不绝于耳，既是恐怖的，又是愉悦的。

　　现在提供给广大读者的这套"鸡皮疙瘩系列丛书"，当你阅读的时候，就像搭乘一次心灵历险的"过山车"。

　　少年心理的健康发展，需要一个磨砺过程，生活阅历中的挫折，情感体验中的悲喜，精神世界中的追求，都是人生不可缺少的历程。

　　心理上的"恐怖"也是一种体验，它可以给予我们胆识、睿智、想象力。

　　这套"鸡皮疙瘩系列丛书"，在美国颇受少年儿童的青睐，甚至让那些不爱读书的孩子，也耽读不倦，爱不释

手。因此，1999年，这套丛书曾以27种文字版本出版，全球销售两亿多册，作者R.L.斯坦被评为当年最受欢迎的儿童文学作家。

是的，阅读"鸡皮疙瘩系列丛书"，与我们通常阅读小说、童话以及科幻故事相比较，颇有异趣。书中斑驳陆离的情境，浩瀚恣肆的想象，直抉心灵的震颤，蔚成奇观，参配天地。

阅读"鸡皮疙瘩系列丛书"，感受心灵探险，好奇心得到充分的满足，获得充分的自由、畅快。在想象的世界中，可以我行我素，或走马古老荒原，邂逅精灵小怪，或穿越沼泽湿地，目睹青磷鬼火，或瞻谒古宅废园，发现千古幽灵，尽情享受一番超越现实、脱俗出尘的惊险和快乐。

这里有冥茫混沌中创造出的另一个世界，这个世界中所发生的故事，虽属怪诞，甚至可怖，虽是对不真实或不存在的事物纯乎幻想与游戏性的艺术再现，但它又与我们的现实生活息息相通，就如同发生在我们身边的事情，让你相信那诸多的神灵鬼怪，其实都是摄取于现实生活中实有的人物。

阅读这些故事，随着故事的进展，情感也随之波澜起伏，有壮烈的激情，有缱绻的爱意，也有凄美的伤感。总之，阅读的快感，丰沛而多彩。

阅读这样奇异的故事，经过一场心灵的历险和心理上的恐怖体验，同样会对善与恶、美与丑，或彼或此，有所鉴别，这同样有赖读者的灵性与妙悟。

这些故事，打破现实与虚幻、时间与空间的界限，富于魔幻和神秘色彩。我们畅游于这个奇幻的世界，感受着与宇宙万物的冲突、和谐，与古今哲思的交流、契合，与人类的心力才智的感悟、沟通。

我们可以和魂灵互致绸缪，可以把怪诞嘘之入梦。我们的精神世界丰盛了，视野开阔了，心理也会为之更加强健。

要做一个智者、勇者，就要敢于经历心灵的探险。阅读这套"鸡皮疙瘩系列丛书"，虽然会有坐"过山车"的惊恐，但终将"安全着陆"。那时候，你会津津乐道，回味无穷。

斯坦大叔，请摘下你脸上那副吓人的面具（序二）

著名儿童文学理论家、作家　彭　懿

——等了这么久，R.L.斯坦终于来敲门了。

隔着门缝，我窥见月光下是一个青面獠牙的怪物，是他，戴着面具，他来了，我发现我起了一身的鸡皮疙瘩，体温降到了零度。

这个男人就站在门外。

我战栗起来，我不知道是不是应该开门让这个寒气逼人的男人进来。其实，斯坦不过是一位给孩子们写惊险小说的作家，1943年出生于美国的俄亥俄州，比被誉为"当代惊险小说之王"的斯蒂芬·金还要大上四岁。不到十年的时间，他的"鸡皮疙瘩系列丛书"（Goosebumps）就卖出了一个足以让我们的畅销书作家汗颜的天文数字——2.2亿册！

我战栗什么呢？

我战栗，是因为惊险小说在我们这里还是一大禁忌。不单是我，许多甚至连惊险小说是一个什么概念都搞不清楚的人，只要一听到"恐怖"两个字，就脸色惨白了。我们是怕吓坏了我们的孩子。但我们忘了，几十年前，在一根将熄未熄的蜡烛后面睁大了一双双惊恐的眼睛听鬼故事的，恰恰正是我们自己。

事实上，我们许多人对惊险小说都有一种饥饿感，就连斯蒂芬·金自己都沾沾自喜地说了，不论是谁，拿起一本惊险小说就回归到了孩子。恐怖，原本是人类自诞生以来最原始的一种感情，但到了小说里面，它已经变味了，衍生出了一种娱乐的功能。

我们为何会如饥似渴地去追求这种惊险呢？

恐怕是因为惊险小说或多或少地表达了现代人在潜意识中的某种对日常生活崩溃的不安，而作为它的核心，潜藏在恐怖的背景之下的"神秘"与"未知"，更是满足了人们的好奇心。还有一个重要的理由，就是有光必有影，有了恶，才看得出善。从本质上来说，人是渴望"善"与"光明"的，通常被我们忽略或是遗忘了的这种倾向，在惊险小说的阅读中都被如数找了回来。不是吗，我们不正是在惊险小说里认识到了潜伏在恐怖背后的"恶"与"黑暗"的吗？面对恐怖，我们才重新发现了被深深地尘封在心底的"正义"、"善"和"光明"。

——门外的斯坦等不及了，开始砸门了，他号叫着破门而入。

斯坦的"鸡皮疙瘩系列丛书"可是够吓人的，看看他都给孩子们讲述了一个个什么故事吧——埃文和新结识的女孩艾蒂从一个古怪的商店买回了一罐尘封的魔血。他的爱犬不小心吃了一口，于是它开始变化，那罐魔血也开始膨胀吃人……

斯坦绝对是一个来自魔界的怪物。

作为一个同行，我无法不对斯坦顶礼膜拜，每个月出书两本的斯坦怎么会有那么多诡异的灵感？他在接受《亚特兰大日报》的采访时曾说过一句话："我整天文思泉涌，写得非常顺手……"斯坦从不吝啬自己的灵感，甚至已经到了铺张奢华的地步，这就不能不让我起疑心了，据说他房间里有一副土著人的面具，我怀疑斯坦一定是戴着这副被下了毒咒的面具不知疲倦地写作的。

除了灵感，他的想象力也是无与伦比的。

当然了，还有故事。和斯蒂芬·金一样，斯坦也是一个讲故事的高手，唯一不同的是，斯蒂芬·金是在给大人讲故事，而斯坦是在给孩子讲故事。在我们愈来愈不会讲故事、一连串的短篇就能串起一部十几万字的长篇的今天，斯坦显得实在是太会讲故事了。他从不拖泥带水，一个悬念接着一个悬念，永远出乎你的意料之外。

记忆里，我似乎没有看到过比它们更好看的故事。

——我逃进了过道，斯坦狞笑着在后面紧追不舍。我透不过气来了，我打开一扇壁橱的门钻了进去，我在暗处打量起这个男人来。

像《魔戒》的作者托尔金提出了一个"第二世界"的理论一样，斯坦也为自己量身定做了一个理论：安全惊险。所谓的"安全惊险"，又称之为"过山车理论"，说白了，意思就是你们读我的惊险小说，就像坐过山车一样，虽然坐在上面会发出一阵阵惊叫，但到头来总会安全着陆。斯坦这人也是够世故的了，明眼人一看就知道这套所谓的理论不过是说给那些拒绝让孩子看惊险小说的大人听的，是一块挡箭牌。

尽管斯坦的"过山车理论"多少带了点贼喊捉贼式的心虚，我们还能指责他一两句，但他在惊险小说上的造诣，我们就只有仰视的份儿了。可以这么说，斯坦已经把惊险小说——至少是给孩子看的这一块——发挥到了极致。

第一，斯坦把惊险推向了我们的日常。你去看他的故事好了，它们几乎都发生在一个与你咫尺之遥的地方，就在你身边，主人公与你一样地说"酷"，与你穿一样的耐克鞋，与你拥有一样的偶像、一样的苦恼……这正是现代惊险小说的一大特征。它缩短了与读者之间的距离，使读者与书中那些与自己相似的人物重叠到了一起。只有这样，读者才会不知不觉地对那些来自魔界或另外一个世界的怪物们信以为真，才会共同体验或者说是共同经历一场可怕的恐怖。

故事发生在我们的日常，并不是说现实世界与幻想世界的界限就在斯坦的作品里消失了。实际上，这不过是幻想小说里一种常见的模式而已，即"日常魔法"（Every-day Magic），它是《五个孩子和一个怪物》的作者E.内斯比特的首创，它不像"哈利·波特"那样从现实世界进入一个幻想世界，而是颠倒了过来，即幻想世界的人物侵入到了现实世界。斯坦非常的聪明，这种"日常魔法"的写法，不需要去设置什么像九又四分之三车站一样的通道，轻而易举地就能俘获读者的"相信"。

第二，斯坦把快乐注入了惊险。写过《挪威的森林》的村上春树曾说过一句话：好的惊险小说，既能让读者感到不安（uneasy），又不能让读者感到不快（uncom-fortable）。斯坦就做到了这一点，岂止是没有不快，而是太快乐了。从斯坦的简历中我发现，斯坦曾在一家儿童幽默杂志任职长达十年之久，所以他的惊险小说才能那样逗人发噱。

——斯坦发现了我，一把把我从壁橱里面拽了出来，拽到了阳光下面。这时，他把脸上的面具摘了下来，我终于看清了他的一张脸。

斯坦戴着一副眼镜，不过，他镜片后面的那双眼睛很亮、很单纯，无邪得就像是一个孩子。这与斯蒂芬·金就大不一样了，斯蒂芬·金的那双眼睛混浊得让你不寒而栗。这也就是为什么上帝要选择斯坦来为孩子们写惊险小说的缘故吧!

真的，你读斯坦的书，就像是被一个戴着怪物面具的大叔在后面手舞足蹈地追着，他嘴里发出的尖叫声比你还恐怖，还不时地搔上你几下，你会哇哇尖叫，会逃得透不过气来，但你不会死，你知道这不过是一场游戏。

金字塔咒语

1 初见金字塔

我一见到大金字塔，便觉得唇干舌燥。

也许是那片沙漠的缘故。那片干燥的黄色沙漠似乎无止境地向远方延伸，连天空也似乎变得干燥起来。

我轻轻地捅了捅妈妈的腰："妈妈，我口渴。"

"现在不行。"妈妈说着，一只手放在前额上，遮住耀眼的阳光，抬头望着巨大的金字塔。

现在不行？

"现在不行"是什么意思？我渴了，现在就要喝水！

有人从后面撞了我一下，用外语说了一声"对不起"。我做梦都没想到会有这么多游客来看大金字塔。我想：大概全世界有一半的人今年决定在埃及过圣诞节吧。

"可是，妈妈……"我说，我不是存心发牢骚，而是真觉得喉咙干了，"我真的口渴。"

"现在没法给你买饮料，"她回答，仍旧盯着金字塔，"别像个三岁小孩儿似的。要知道，你已经十二岁了。"

　　"可十二岁的大孩子也会口渴的呀，"我喃喃地抱怨着，"空气里都是沙子，把我的喉咙都塞住了。"

　　"快看金字塔!"她说，显得有些生气，"我们是来这儿看金字塔的，不是来买饮料的。"

　　"可是我喘不过气来了!"我喊起来，捂着我的喉咙，大声喘着气。

　　好吧，我并没喘不过气来。我说得稍微夸张了点儿，只是为了引起她的注意。可是她把草帽的帽檐儿往下一拉，继续仰望着在热浪中闪闪发光的金字塔。

　　我决定向爸爸试试看。跟往常一样，他正把头埋在一堆导游书里。这些书，他到哪儿都带着。我觉得他可能还没朝金字塔看上一眼呢。他总是把眼睛埋在导游书里，结果什么风景都没看到。

　　"爸爸，我真的渴了。"我故意声音嘶哑地低声说。

　　"噢! 你知道金字塔有多大吗?"他问，目不转睛地盯着书上的一张金字塔照片。

　　"我口渴了，爸爸。"

　　"十三英亩，加比，"他兴奋地说，"你知道它是用什么做的吗?"

我想说是用"傻油泥"（Silly Putty，一种类似橡皮泥的东西，可用来制作各种玩具。——译者注）做的。

他总是在考我。每次我们外出旅行，他总是问我一百万个诸如此类的问题。我想自己一个也没回答对过。

"是一种石头吗？"我回答道。

"对了！"他冲我笑了一下，目光又回到他的书上去了，"是用石灰石做的，石灰石石块。书上说有的石块重达一千吨。"

"哇！"我说道，"那比你和妈妈加起来还要重！"

他把头从书上抬了起来，向我皱了皱眉："这一点儿也不好笑，加比。"

"开个玩笑嘛。"我说道。爸爸对他的体重有点儿敏感，所以我老拿这个跟他开玩笑。

"那你知道古埃及人是怎么搬动那些一千吨重的石头的吗？"他问。

测验还没有结束。

我瞎蒙了一下："用卡车吧？"

他笑了："卡车？那时候连车轮子都没有。"

我用手遮着阳光，抬头望着金字塔。真的非常大，比照片上大得多，也干燥得多。

我无法想象在没有车轮的情况下，他们是怎么把那些大石头拉到大沙漠里来的。"我不知道，"我坦白道，

"我渴死了。"

"没有人知道他们是怎么做到的。"爸爸说。

这么说，这是一个故意捉弄人的问题。

"爸爸，我真的需要喝点儿东西。"

"现在不行，"说完，他眯着眼睛瞥了一眼金字塔，"这非常有意思，不是吗?"

"它让我感到口渴。"我说，试图让他明白我的意思。

"不。我是说，这非常有意思，想想看吧:我们的祖先——你的和我的，加比……可能曾经在这些金字塔旁边走过，甚至参与过它们的建造。我对此感到激动。你呢?"

"我也是。"我说。他说得没错，这的确令人激动。

我们是埃及人，你知道。我是说，我的祖父母和外祖父母都是埃及人。他们大约在一九三〇年搬到了美国。妈妈和爸爸都出生于密歇根。这次，来到我们的祖先所生活过的国家，我们都感到很激动。

"不知你舅舅本现在是不是就在那座金字塔里面。"爸爸说着，用一只手挡着太阳。

本·哈萨德舅舅。我差点儿忘记我这位著名的考古学家舅舅了。这次我们决定来埃及度假的原因之一，就是要来看看他。此外，我爸爸妈妈在开罗和亚历山大等地有些事要办。

爸爸妈妈自己做生意。他们卖冷藏设备。这工作不怎么有趣，不过有时候他们会去一些好玩的地方旅行，比如埃及。我总是跟他们一起去。

我转身看着金字塔，一边想着本舅舅。

我猜想，本舅舅和他的工人们正在大金字塔里到处挖掘，探寻着新的木乃伊。他十分着迷于祖先的家乡，在埃及住了很多年了。他是金字塔和木乃伊方面的专家。我甚至在《国家地理》杂志上看见过他的照片。

"我们什么时候去见本舅舅？"我问，扯了扯爸爸的胳膊。不巧，我劲儿使得太大了，他手一松，旅行指南掉到了地上。

我帮他把书捡了起来。

"今天不行。"爸爸说着，做了个鬼脸，他不喜欢弯腰去捡东西，因为他的肚子太大了，"过几天你舅舅会到开罗跟我们会面。"

"我们现在为什么不到金字塔里面去看看他是不是在那儿？"

"这是不允许的。"爸爸回答。

"看哪——骆驼！"妈妈戳了戳我的肩，指着前方。

果然，有些人骑着骆驼过来了。其中有一只骆驼好像正剧烈地咳嗽着。我猜它也口渴了。骑在骆驼上的那些人是游客，他们看起来很不舒服，好像不知道怎么从骆驼上下来。

"你知道怎么从骆驼上下来吗?"我问爸爸。

他正眯着眼研究着金字塔顶部。"不知道。怎么下来?"

"也难怪,您是不骑骆驼的,"我说,"而是骑鸭子的。"

我知道,这个笑话并不新鲜,不过爸爸和我乐此不疲。

"看见那些骆驼了吗?"妈妈问我。

"我又不是瞎子。"我没好气地回答。口干舌燥使我心情糟糕透了。再说,看到骆驼有什么好激动的呢?它们看上去很迟钝,身上散发出的气味就像我在打完一场篮球比赛后脚上的运动袜一样,臭烘烘的。

"你怎么了?"妈妈问,一边摆弄着她的草帽。

"我不是说过了嘛,"我不禁生气地说,"我口渴了!"

"是吗,加比?"她瞟了一眼爸爸,回头继续望着金字塔。

"爸爸,你觉得本舅舅能带我们到金字塔里面去吗?"我急切地问,"那样的话就太棒了。"

"不,我觉得不太可能。"爸爸说,他把旅行指南夹在腋下,举起望远镜,"我真的不这样看,加比。我觉得这是不允许的。"

　　我掩饰不住自己的失望。我不止一次地幻想和舅舅一起进入金字塔，在里面发掘木乃伊和古代的宝藏。把那些复活过来保卫圣墓的古埃及人打败，然后在一番疯狂的追逐战后，胜利逃出坟墓，就像《夺宝奇兵》那样。

　　"恐怕你只能从外面欣赏金字塔了。"爸爸说着，从望远镜里望着沙漠的远方。

　　"我已经欣赏好了，"我闷闷不乐地回答他，"现在我们能不能去喝点儿东西?"

　　那时，我压根儿没想到，几天后，爸爸妈妈就走了，而我却要待在眼下我们所注视的这座金字塔的里面。不是简单地"待"在里面，而是被"困"在里面、"封"在里面——可能永远出不来了。

2 计划改变了

我们从吉萨开车回开罗去。那辆可笑的小汽车是爸爸从机场租来的。实际路程并不远，可对我来说却显得很漫长。那辆车就比我的那些遥控汽车玩具稍微大一点儿，它每颠一下，我的头都会撞到车顶上。

我把"游戏男孩"（一种电池驱动便携式电子游戏机。——译者注）带来了，可妈妈硬是让我把它放在了一边，说这样我就能欣赏路边的尼罗河了。尼罗河很宽，河水是深褐色的。

"今年圣诞节，你班上别的同学可能看不到尼罗河哟。"妈妈说。热风从车窗吹进来吹拂着她的棕色头发。

"现在我可以玩游戏机吗？"我问。

我的意思是，说到底，尼罗河没啥稀罕的，不就是一条河嘛。

大约一小时以后，我们回到了开罗那狭窄而拥挤的街道上。爸爸拐错了弯，把车开到一个集市上去了。结果在一条小巷子里，我们被前面的一群山羊堵了将近半个小时。

直到我们回到宾馆，我才喝到了饮料。那时，我的舌头已经跟一根意大利腊肠那么大了，像艾维斯的舌头一样，直垂到地板上。艾维斯是我们家的一只可卡犬。

我要说一件关于埃及的好事。这里的可乐跟家里那边的一样好喝，也是经典可乐，而不是其他品种。他们还给你很多冰块，我喜欢把它们放在嘴里嘎吱嘎吱地嚼。

我们住的是套间，里面有两个卧室和一个起居室。从窗外望出去，就能看到街对面的一幢摩天大楼，跟其他城市没什么两样。

起居室里有一台电视机，但里面的人都说阿拉伯语。反正那些节目看上去也没啥意思，大多数是新闻。唯一的英语频道是CNN，可那里面也都是新闻。

我们正要讨论去哪里吃晚饭，电话响了。爸爸到卧室里去接电话。几分钟后，他把妈妈叫了进去，我听到他们俩在里面商量着什么。

他们说话的声音很小，所以我估计他们谈的事跟我有关，因为他们不想让我听见。

几分钟后，他们俩都从房间里出来了，看上去有些着急。我的第一个念头是，电话是我奶奶打来的，是艾维斯出事了。

"什么事?"我问道，"是谁打来的?"

"你爸爸和我得去趟亚历山大，就现在。"妈妈说，坐到我身旁的沙发上。

"啊?亚历山大市?"我们原本打算这个周末才去那儿的。

"是生意上的事儿，"爸爸说，"有个非常重要的客户想明天一早跟我们见面。"

"我们必须乘一个小时后的飞机。"妈妈说。

"可我不想去，"我对他们说，从沙发上跳了起来，"我想待在开罗看本舅舅。我想跟他一起去金字塔。你们答应过的!"

我们争论了一会儿。他们试图说服我，说亚历山大市有很多很酷的东西值得一看，可我就是不动摇。

最后，妈妈想了个办法。她走进房间，我听见她跟谁打了个电话。几分钟后，她微笑着走了出来。"我跟本舅舅谈过了。"她宣布。

"哇!金字塔里有电话吗?"我问。

"没有，我打到他在吉萨的小旅馆去了。"她回答，"他说要是你愿意的话，在你爸爸和我去亚历山大市这段时间，他会照顾你的。"

"真的?"这听起来有些出人意料。本舅舅是我见过的最酷的人之一,有时候我简直不相信他是我妈妈的兄弟。

"你自己定,加比。"她说道,瞟了一眼爸爸,"你可以跟我们一起去,也可以跟本待在一起,直到我们回来。"

这么说我可以选择。

我连十分之一秒钟都没考虑,就宣布:"我要跟本舅舅待在一起!"

"还有件事要告诉你,"妈妈说,神神秘秘地笑着,"没准儿你要再考虑一下的。"

"我才不管是什么事呢,"我坚持说,"我选择跟本舅舅在一起。"

"莎莉也在度假,"妈妈说,"她也跟他待在一起。"

"可恶!"我大叫一声,扑到沙发上,用双拳捶着沙发垫。

莎莉是本舅舅的女儿,很傲慢。她是我唯一的表姐妹,和我同岁——十二岁——可她觉得自己很厉害。她爸爸在埃及工作,她则在美国上寄宿学校。

她长得很漂亮,而且她知道这一点。人还算聪明。上次我见到她时,她长得比我高一点儿。

那是去年圣诞节的事了,我记得她玩《超级马力欧世界》能玩到最高级。可那不公平,因为我没有超级任天堂,只有普通的任天堂,所以我从没有练习的机会。

我觉得这正是她最喜欢我的地方，她可以在玩游戏等方面击败我。莎莉是我认识的人中最要强的。她什么事都要做得最快、最好。要是周围的人都得流感，她也一定是第一个要得的！

　　"别那样捶沙发！"妈妈说。她抓住我的手臂，把我拉了起来。

　　"你是不是改变主意了，想跟我们一起走？"爸爸问。

　　我想了想。"不，我要和本舅舅待在这里。"我决定了。

　　"你不会和莎莉打架吧？"妈妈问。

　　"是她要和我打架。"我说。

　　"你妈妈和我得赶紧走了。"爸爸说。

　　他们进房间去收拾东西。我打开电视，看着里面讲阿拉伯语的游戏节目。那些做游戏的人笑个不停。我不明白他们为什么笑。我连一句阿拉伯语都听不懂。

　　过了一会儿，妈妈和爸爸拉着箱子出来了。"我们快来不及了。"爸爸说。

　　"我跟本讲过了。"妈妈告诉我，用手理着头发，"他一个小时后来这里。加比，你不介意一个人在这里待上个把小时吧？"

　　"什么？"

　　这不能算是回答，我得承认。只不过她的问题吓了我一跳。

我是说，我从没想过，我的亲生父母会把我一个人留在一个陌生城市的大宾馆里，我连这里的话都不会说。他们怎么能这样对我呢？

"没问题，"我说，"我不会有事儿的。我就看电视，等着他来。"

"本已经在路上了。"妈妈说，"他和莎莉很快就会到的。我已经给宾馆的经理打过电话了，他说他会不时叫人上来看看你。"

"这服务生怎么还没来呀？"爸爸问，紧张地走来走去，"十分钟前我就给前台打过电话了。"

"待在这儿等着本，好吗？"妈妈对我说。她走到沙发后，靠在上面，捏着我的耳朵。不知怎的，她以为我喜欢那样。"别出门。就在这里等他。"她低下头，在我额头上亲了一下。

"我不会乱跑的，"我回答，"我就坐在沙发上，哪儿也不去，厕所都不上。"

"你难道就不能正经一回吗？"妈妈摇了摇头。

有人在大声敲门。宾馆服务生——一个弓着腰的老人来帮他们拿行李了。他看上去似乎连个羽毛枕头都搬不动。

妈妈和爸爸十分着急，他们拥抱了我，叮嘱了我几句，再次提醒我一定要待在房间里。接着，门在他们背后关上了，房间里突然变得十分安静。

非常安静。

我打开电视，只是想使房间里多点儿声音。游戏节目已经结束了，现在，一个穿着一身白色西装的男人正在用阿拉伯语播报新闻。

"我不怕！"我大声说。可是我觉得喉咙发干。

我走到窗边，向外望去。太阳快落下去了。对面摩天大楼的影子投到街道和宾馆的墙上。

我拿起可乐，吸了一口。味道很淡。我肚子咕咕直叫，我突然意识到自己饿了。

我想到了客房送餐服务。

转念一想，我决定最好还是别叫客房服务。要是我给他们打电话，他们只会说阿拉伯语怎么办？

我瞅了一眼时钟。七点二十分。但愿本舅舅能快点儿来。

我不是害怕而是希望他快点儿来。

好吧，也许我是有点儿紧张。

我在房间里走过来走过去。又试着用游戏机玩俄罗斯方块，可就是集中不了精神，灯光也不够亮。

莎莉很可能是玩俄罗斯方块的高手，我苦恼地想着。他们到底在哪儿？为什么还没到？

我开始产生一些可怕的想法：如果他们找不到宾馆怎么办？如果他们走错了路，找到别的宾馆去了又怎么办？如果他们发生了可怕的车祸，都被撞死了，我得一个人在开罗过好多天怎么办？

我知道，这些想法都很愚蠢。可是当你一个人在一个陌生的地方等人时，一般都会产生这种想法。

我低下头，忽然发现自己已经把那只"木乃伊之手"从牛仔裤口袋里掏出来了。

这只手很小，只有一个孩子的手那么大，包着一层褐色的薄纱。这是几年前我在一户人家在车库抛卖旧物时淘来的。我把它当做我的护身符，一直随身带着它。

把它卖给我的那个男孩把它叫做"召唤师"，他说那是用来召唤邪恶灵魂之类的。我对此并没在意，我只是觉得仅花两美元就能买下它真是太值了。我是说，能在人家抛卖旧物时淘这么一件宝贝可真不容易！没准儿它还是真的呢。

我一边在起居室里踱步，一边用两只手抛着它。电视上的节目开始让我感到紧张，于是我便把电视给关了。

可现在屋里的寂静又让我紧张起来。

我用巴掌拍着木乃伊之手，继续在屋里踱着步。

他们到哪儿了？按说应该到了啊。

我开始觉得自己作出了错误的选择。或许我应该跟爸爸妈妈一起去亚历山大。

接着我就听到门口传来一阵脚步声。

是他们来了吗？

我在起居室中间停了下来，侧耳倾听着，眼睛盯着通向房门的狭窄过道。

过道上的灯光很暗，不过我能看到门把手在转动着。

真奇怪！我心想，本舅舅会先敲门的——不是吗？

门把手转开了。门吱吱嘎嘎地开了。

"喂……"我喊了出来，可是后面的话却卡在了喉咙里。

本舅舅会先敲门的。他不会就这样闯进来的。

门吱吱地响着，慢慢地开了。我呆立在房间中央，盯着门口，喊不出声来。

一个高高的、模糊的影子站在门口。

这个影子跟跟跄跄进入房间时，我才把它看清楚了，不由惊得屏住了呼吸。即使是在昏暗的灯光下，我也能看出来那是什么。

是一个木乃伊！

一对又圆又黑的眼睛，正通过那被绑得结结实实的头部上的两个洞瞪着我。

那是个木乃伊！

只见它猛地离开墙壁，摇摇晃晃地闯进起居室，两只手臂往前伸着，似乎想把我抓住。

我张开嘴，想尖声大叫，却什么声音也发不出来。

3 进入金字塔

我往后退了一步，又一步。不知不觉中，我把那只小木乃伊之手举到了空中，仿佛要用它把入侵者赶走。

灯光下，我盯着它那双又深又黑的眼睛。

我认出来了。

"本舅舅！"我叫起来。

我生气地把木乃伊之手向他掷去。木乃伊之手打在他那缠着绷带的胸口上，弹了出去。

他往后一倒，靠在了墙上，爆发出一阵大笑。

接着我看见莎莉从门口探出头来，她也在大笑，用手拨弄着头发。

他们以为这很好玩。可我的心跳得那么厉害，仿佛就要从我的胸口跳出来了。

"这一点儿也不好笑！"我生气地喊，拳头握得紧紧的。我深深地吸了口气，又吸了一口，竭力使我的呼吸恢复正常。

"我就说他会被吓坏的。"莎莉一脸高傲的笑容，边说边走进房间。

本舅舅笑得太厉害了，笑得缠着绷带的脸上都挂满了泪花。他个儿高高的，肩膀宽宽的，笑声简直能震动整个房间："你没被吓坏吧……是吧，加比？"

"我就知道是你，"我说，心仍然怦怦地跳着，就像一个发条上得太紧的玩具，"我刚才一眼就认出你了。"

"你看上去就是吓坏了。"莎莉寸步不让。

"我是不想扫你们的兴。"我回答，不知他们能不能看出实际上我有多害怕。

"你真应该看看当时你自己脸上的表情！"本舅舅大声说完，又开始大笑起来。

"我告诉过爸爸不该这么做。"莎莉说，一下子坐到沙发上，"他穿成这样，宾馆的人居然让他进来，真是奇怪。"

本舅舅弯下腰，从地上捡起我向他扔去的那只木乃伊之手。"你已经习惯我和我的恶作剧了，是吗，加比？"

"没错。"我说，躲开他的眼神。

我暗暗怪自己被他这身愚蠢的装束给骗了。我老是上他的当，老是如此。现在，莎莉在沙发上对我咧嘴笑着，知道我实际上已经被吓得惊慌失措了。

本舅舅扯下脸上的一些绷带。他走过来，把那只小木乃伊之手还给了我。"你从哪儿弄来的?"他问。

"车库甩卖。"我告诉他。

我刚想问他这东西是不是真的，他却紧紧地抱住了我。他脸上的纱布贴在我的脸颊上，很扎人。"见到你真高兴，加比，"他和蔼地说，"你长高了。"

"快和我一样高了。"莎莉插了一句。

本舅舅向她做了个手势："快起来，帮我把这些玩意儿扯掉。"

"我喜欢你裹成这样。"莎莉说。

"快过来!"本舅舅坚持着。

莎莉叹了口气，站起来，把那头黑色的直发甩到脑后。她走到本舅舅身边，开始拆他身上的绷带。

"我有点儿太着迷于这些木乃伊了，加比。"本舅舅坦白道，一只胳膊放在我肩上，"只怪金字塔最近发生的一些新鲜事儿，实在让我感到太兴奋了。"

"什么新鲜事儿?"我急忙打听。

"爸爸发现了一个新墓室。"莎莉插嘴帮她爸爸说下去，"他正在挖掘金字塔中几千年来都没被发现过的地方。"

"真的吗?"我喊，"真了不起!"

本舅舅咯咯地笑着。"你就等着看吧!"

"等着看?"我不明白他这句话的意思,"你是说你会带我到金字塔里面去吗?"

我嚷嚷得那么大声,只有狗才能听出我在说什么,可我才不在乎呢。我不敢相信自己能有那么好的运气,我要进入大金字塔,进入一个刚被发现的新墓室!

"我是别无选择,"本舅舅干巴巴地说,"我还能带着你们俩做什么呢?"

"里面有木乃伊吗?"我问,"我们能看见真正的木乃伊吗?"

"你想你的木乃伊了?"莎莉问。这个玩笑真不高明,我没理她。我问:"那里面有宝吗,本舅舅?埃及遗物?壁画?"

"我们吃晚饭时再谈吧。"本舅舅说着,扯下最后一段绷带。他穿着一件彩格呢运动衫和一条宽松的斜纹棉布裤。"走吧,我都快饿死了。"

"看谁先跑下楼。"莎莉说着,一把推开我,抢先跑出了房间。

我们在宾馆楼下的餐厅里吃晚饭。餐厅的墙上画着棕榈树,四周放满了大盆子,里面种着小型棕榈树。木制天花板上的大吊扇在我们头顶缓缓地转动着。

我们三人坐在一间宽敞的包房里，我和莎莉坐一边，本舅舅坐在我们对面。我们研究着长长的菜单，那是用阿拉伯语和英语印制的。

"听好了，加比。"莎莉说，得意洋洋地微笑着，开始大声朗读上面的阿拉伯语。

真会卖弄啊。

穿着一身白衣服的侍应生端上来一篮子扁平的皮塔面包和一碗绿色的东西，是用来蘸面包的。我要了一份总会三明治和炸薯条，莎莉要了一个汉堡。

我们吃晚饭时，本舅舅跟我们讲了点儿他在金字塔里的发现。"你们可能知道，"他说，一边撕下一大块面包，"金字塔大约是公元前两千五百年，在胡夫法老统治时期建造起来的。"

"祝你健康。"莎莉说。又是一个拙劣的玩笑。

她爸爸咯咯地笑了。我向她做了个鬼脸。

"金字塔是当时最大的建筑。"本舅舅说，"你知道金字塔的地基有多大吗？"

莎莉摇了摇头。"不知道。有多大？"她一边嚼着汉堡一边说。

"我知道，"我咧嘴笑了，"是十三英亩。"

"嘿——你回答对了！"本舅舅喊起来，显然感到很吃惊。

莎莉惊讶地看了我一眼。

这回我赢了！我开心地想，冲她吐了吐舌头。

多亏了爸爸的旅游指南。

"金字塔是作为皇家墓地建造起来的，"本舅舅继续说，脸上的表情变得严肃起来，"法老把它造得那么大，就可以把墓室藏在里面。埃及人很担心他们的墓被盗。他们知道有人会起贼心闯进去盗走那些跟墓地主人埋在一起的珍贵珠宝和宝物。所以他们在里面修了几十条地道和几十个墓室，把它变成了一个迷宫，使盗墓者找不到真正的墓室在哪里。"

"快点儿进入正题吧。"莎莉插了一句。我把番茄酱递给她。

"莎莉已经听过这些事情了。"本舅舅说，拿起皮塔面包在盘子里的深色肉汁里蘸了蘸，"不管怎样，我们考古学家认为我们已经发掘了这座金字塔里所有的地道和墓室。可几天前，我的工人和我发现了一条在任何图表上都没有的地道。一条没有发现过也没有被挖掘过的地道。我们认为这条地道可能是通向胡夫本人真正的墓室的！"

"了不起！"我激动地问，"你们挖掘墓室的时候，莎莉和我能去看吗？"

本舅舅咐咐地笑了："这我可不知道，加比。我们可能需要细致地勘察好几年呢。不过明天我会带你们到地道里去。以后你们就可以向朋友们吹牛，你们到胡夫金字塔里面去过了。"

"我已经进去过了，"莎莉炫耀地说，转身看着我，"不过里面很黑。你可能会被吓坏的。"

"不，我才不会呢，"我坚定地说，"不可能。"

我们仨在宾馆里过了一夜。我在床上翻来覆去，久久都不能入睡。我想我是太兴奋了。我不断地想象着我们在金字塔里面找到了木乃伊，还有一大箱一大箱的古代珠宝和器物。

第二天一大早，本舅舅就叫醒了我们。我们开车离开吉萨，向金字塔驶去。空气又闷又热。太阳就像个橙色的气球，低低地挂在沙漠上方。

"就在那儿！"莎莉大声说，指着窗外。我望见了金字塔，像海市蜃楼般从黄色的沙子上升起。

本舅舅向穿着蓝色制服的门卫出示了一张特许证，然后将车子开进了金字塔后面的一条隐蔽小道。本舅舅把车停在其他几辆汽车和货车旁边。它们都躲在金字塔那巨大的蓝灰色影子里。

我下了车，心激动地怦怦跳着。我抬起头盯着金字塔那饱经风雨侵蚀的巨石。

它已经有四千多年的历史了，我心想。我马上就要进入这个建造于四千多年前的大建筑物里面去了！

"你的鞋带松了。"莎莉说，指着我的鞋子。

她当然懂得怎么让一个人回到现实中来。

我弯下腰去系鞋带。不知为什么，我左边鞋子的鞋带经常松开，即使我打了双环结也没用。

"我的工人们已经在里面了。"本舅舅告诉我们，"现在，咱们跟紧点儿，好吗？别到处乱跑。里面的地道确实像一个迷宫，很容易迷路的。"

"没问题。"我说，声音颤抖着，内心紧张而兴奋。

"别担心。我会看着加比的，爸爸。"莎莉说。

她只比我大两个月。她为什么一定要表现得就像我的保姆呢？

本舅舅给了我们每人一个手电筒。"进去的时候，把手电筒别在裤子上。"他吩咐道，凝视着我，"你不相信诅咒吧？你知道……古代埃及人的那种诅咒。"

我不知道怎么回答，就摇了摇头。

"很好。"本舅舅回答，咧嘴笑着，"因为我的一个工人说，我们进入这条新地道是违反了一条古代的禁令，还激活了一个诅咒。"

"我们才不怕呢！"莎莉说，嬉笑着推了他一把，"走吧，爸爸。"

不一会儿，我们通过正方形的小入口，进了石室。我弓着身子，跟着他们穿过一条似乎逐渐往下倾斜的狭窄地道。

本舅舅在前面带路，他手中的卤素手电筒照亮了脚下的路。金字塔的地板很柔软，上面有很多沙子。空气阴冷而潮湿。

"墙是用花岗岩砌的。"本舅舅说，停下来，用手在低低的顶板上摸了一下，"所有的地道都是用石灰石铺的。"

温度陡然低了。感觉空气的湿度更大了。我忽然明白了本舅舅为什么让我们穿长袖。

"如果你害怕的话，我们可以回去。"莎莉说。

"我没事儿。"我回答得很迅速。

地道突然到头了。一道浅黄色的墙出现在我们面前。本舅舅的手电筒照在地板上的一个小黑洞上。

"我们从这里下去。"本舅舅双膝跪到地上，嘴里哼唧了一声，他回头对我说，"没有台阶通到下面的新地道。我的工人们用绳子做了架梯子放在这里。顺着它一步一步慢慢往下爬，就能安全到达下面的地道了。"

"没问题。"我回答。可是我的声音却颤抖了。

"别往下看，"莎莉建议，"你会觉得头晕的，那样就可能摔倒。"

"谢谢你的鼓励！"我对她说着，走到她前面。"我先下去。"我说。她老在我面前做出一副高高在上的样子，我已经受不了了。我决定用行动告诉她谁有胆量、谁是胆小鬼。

"不行，让我先下去。"本舅舅说，举起一只手阻止了我，"我下去后再照亮梯子，帮助你们下去。"

他又哼唧了一声，钻进了那个洞。他个子那么高大，差点儿没能钻过去。

他沿着绳梯慢慢往下爬。

莎莉和我趴在洞口，看着他一步步往下爬去。绳梯不是很稳固。本舅舅小心而缓慢地往下爬，绳子被他压得前后晃动着。

"这个洞可真深。"我轻轻地说。

莎莉没有回答。在摇曳的光线里，我看到她脸上充满了担忧。当她爸爸到达地道地面时，她咬住了下唇。

原来她也很紧张。

这使我感到十分开心。

"好了，我已经到了。你是第二个，加比。"本舅舅向上对我喊。

我转过身，把两只脚踩到绳子上，回头朝莎莉咧嘴一笑："回头见！"

我把两只手放到绳梯的两边——当我把两只手往下滑时，我大叫了一声。

"啊!"

绳子表面不光滑,很粗糙,它弄破了我的手。

剧烈的刺痛使得我抬起了双手。

我还没反应过来是怎么回事,身体就开始往下跌去。

4 深入地道迷宫

有两只手从上面伸了下来，像箭一般迅速，抓住了我的两个手腕。

"抓牢!"莎莉喊。

她用的力正好够我用两只手重新抓住绳梯的两边。

"哦，天哪!"我好不容易叫了出来。这已经是我竭尽全力所能做到的了。我拼命地抓着绳子，心怦怦地跳着；我闭上眼，一动不动。刚才我的手在绳子上擦得太重了，疼得厉害。

"我救了你的命!"莎莉将身体伸进洞里，对我叫道。她的脸离我只有几英寸。

我睁开眼，抬头注视着她。"谢谢。"我感激地说。

"不客气。"她回答道，接着一阵大笑，放松地大笑。

我为什么不能救她的命？我生气地问自己。我为什么不能当个大英雄？

"怎么了，加比？"本舅舅在下面地道地板上大声地问。他那响亮的声音在地道里大声回响着。他手中手电筒射出的光圈在花岗岩墙上来回晃动。

"我的手被绳子割了一下，"我解释，"我没想到……"

"别急，慢慢来，"他耐心地说，"每次往下踩一步，记得吗？"

"把手一步步放到下面去，不要往下滑。"莎莉提醒我，她的脸趴进了洞里，就在我上方。

"好的，好的。"我说，呼吸恢复正常了。

我深深地吸了口气，抓住了绳子。接着，我小心而缓慢地沿着长绳梯往下爬。

过了一会儿，我们三个都站在地道地板上了，手里拿着手电筒，眼睛追随着手电筒发出的光。"这边走。"本舅舅轻声说道，弯着腰，向右边慢慢地走去。

我们的帆布鞋踩在满是沙子的地面上，嘎吱嘎吱直响。我看见右边有一条地道，左边也有一条。

"我们呼吸的空气已经有四千年了。"本舅舅说，始终让手电筒的光照在前面的地上。

"闻起来像是那样。"我小声对莎莉说。她笑了起来。

空气闻起来确实不太新鲜。凝滞，散发着霉味。就像有些人家阁楼里的空气。

地道向右边蜿蜒延伸，变得宽一点儿了。

"我们正在走向地球深处，"本舅舅说，"是不是感觉像在下山?"

莎莉和我同时低声回答："是的。"

"昨天爸爸和我考察了另一边的地道。"莎莉接着说，"我们在一个小房间里找到了一具木乃伊棺材。棺材很漂亮，保存得很完整。"

"里面有木乃伊吗?"我急切地问。我等不及要看木乃伊了。我家乡的博物馆里只有一个。我去看过它，整天研究它。

"没有，里面是空的。"莎莉回答。

"木乃伊为什么没有任何爱好呢?"本舅舅问，突然停下了脚步。

"我不知道。"我回答。

"因为它被裹得太紧了!"本舅舅解释。说完他自己大笑了起来。莎莉和我只能勉强挤出一丝微笑。

"别让他太得意，"莎莉大声对我说，故意让她爸爸听见，"他知道一百万个关于木乃伊的笑话，可是一个都不好笑。"

"等一下，马上就好。"我说。我弯下腰去系鞋带，鞋带又松了。

地道向前蜿蜒延伸着，接着又一分为二。本舅舅带着我们进入了左边那条，里面非常窄，我们只能低着头，侧着身子挤过去。随后地道变宽了，我们进入一个天花板很高、十分宽敞的墓室。

我站直了身体，活动了一下四肢。自由地伸展身体多好啊！我打量了一下墓室四周。

我看见有几个人站在远一点儿的墙边，拿着挖土铲子干活。他们头顶的墙上悬着明亮的照明灯，灯连在一台移动式发电机上。

本舅舅带着我们走过去，向他们介绍了我们。他们一共有四个人，两个男的，两个女的。

另外有一个人手里拿着一块夹纸板，站在一旁。他是个埃及人，全身穿着白色衣服，只有绕在脖子上的那块大手帕是红色的。他的头发是黑色的直发，扎成一条马尾辫，垂在脑后。他注视着莎莉和我，不过并没有走过来。他好像在研究着我们。

"阿麦德，昨天你见过我女儿了。这是加比，我的外甥。"本舅舅对他说。

阿麦德点了点头，既没有笑，也没说话。

"阿麦德是从大学来的，"本舅舅低声告诉我，"他要求来这儿观察，我同意了。他很安静，不过不要惹他说起那些古老的诅咒。就是他不断警告我正面临致命的危险。"

阿麦德点了点头，仍然没有回答。他盯着我看了好一会儿。

这家伙好怪，我心想。

不知他会不会跟我讲那些古代的诅咒。我就爱听这种故事。

本舅舅转身对着他的工人们。"怎么样？今天有什么进展吗？"他问。

"我想我们已经越来越近了。"一个红头发的年轻人回答道。他穿着一件蓝色粗布工作服和一条退了色的牛仔裤。紧接着他又说："我这只是一种预感。"

本舅舅皱了皱眉："谢谢，加西莫多。"

工人们全都笑了。我想他们喜欢听本舅舅说笑话。

"加西莫多是《巴黎圣母院》里的一个驼背。"莎莉用她那高傲的语气对我说。

"我知道，我知道，"我生气地回答，"我懂的。"

"我们可能挖错方向了，"本舅舅对工人们说，挠着后脑勺一处光秃秃的地方，"地道可能在那边。"他指着右边的墙壁。

"不，我觉得我们就快揭开谜底了。"一个年轻女人说道，脸上沾满了灰尘，"本，到这边来。我给你看样东西。"

她带着他走到一大堆石头和碎片旁边。他用手电筒照着她手指的地方，然后往前挨近一步，仔细观察着她指给他看的东西。

"这真有意思，克瑞斯蒂。"本舅舅说，摸着下巴。他们长时间地讨论着。

过了一会儿，其他三名工人扛着铲子和锄头走进了房间。其中一个人扛着一只用扁平的金属箱装着的某种电子器材，有点儿像笔记本电脑。

我想问本舅舅那里面是什么，可他还蹲在那个角落，跟那个叫克瑞斯蒂的工人讨论着什么。

莎莉和我晃到地道入口处。"我想他已经忘了我们。"莎莉闷闷不乐地说。

我表示同意，拿起手电筒照了照斑驳的天花板。

"他只要一到这儿，跟工人们待在一起，就什么都不管了，只管他的工作。"她说着叹了口气。

"真不敢相信我们真的进了金字塔了！"我喊起来。

莎莉笑了，用脚踢着地面。"看，这是古时候的泥土。"她说道。

"没错儿，"我也踢了踢沙土，"不知道是谁最后一个从这儿走过。也许是一个埃及女祭司，也许是法老。他们可能曾经在我脚下这个位置站过呢。"

"咱们去探险吧！"莎莉突然说。

"什么?"

她那黑色的眼睛闪着光，看起来坏坏的，十分调皮。

"我们走吧，加比宝贝……我们去找找别的地道什么的。"

"别叫我加比宝贝。"我说，"莎莉，你知道我讨厌别人那样叫我。"

"对不起，"她咯咯笑着向我道歉，"你来吗?"

"我们不能去。"我态度很坚决，一边望着本舅舅，他似乎正在跟那个扛着金属盒子的工人争辩着什么，"你爸爸说我们一定得待在一块儿，他说……"

"他会在这里忙上几小时的，"她不耐烦地打断了我，往后瞟了本舅舅一眼，"他甚至都不会注意到我们已经走了。真的。"

"可是，莎莉……"我开口说。

"再说，"她继续说下去，双手放到我肩上，把我向地下室的门推去，"他不想让我们在旁边碍手碍脚的。我们只会妨碍他。"

"莎莉……"

"我昨天去探险了。"她说，依然用两只手推着我，"我们不会走远的。你不会迷路的。所有的地道都通向这个大墓室，真的。"

"我只是觉得我们不该离开这儿。"我说，眼睛仍盯着本舅舅。现在他双膝跪在地上，拿着一把锄头在墙上挖着。

"放开我，"我对她说，"真的，我……"

接着她说的话不出我的意料。当她想达到某个目的时，她总这么说。

"你是个胆小鬼吗?"

"不是，"我反对说，"你知道你爸爸说过……"

"胆小鬼，胆小鬼，胆小鬼……"她像小鸡般咯咯笑起来。真可恶。

"别笑了，莎莉!"我想装出强硬的语气，吓唬吓唬她。

"你是胆小鬼吗，加比宝贝?"她又说了一遍，向我咧嘴笑着，仿佛她刚刚取得了重大的胜利，"是吗，加比宝贝?"

"别那样叫我!"我抗议。

她还是紧紧地盯着我。

我做了一个表示讨厌的鬼脸。"好吧，好吧，我们去探险吧。"我对她说。

我的意思是，我还能说什么呢?

"不过不能走远。"我加了一句。

"别担心，"她咧嘴笑起来，"我们不会迷路的。我就带你去看看我昨天走过的一些地道。有一条地道的墙上刻着一头奇怪的动物。我觉得是一只猫。不过我不能肯定。"

"真的?"我叫了起来，立刻激动万分，"我见过浮雕的图片，不过从来没有……"

"那可能是一只猫，"莎莉说，"或者是一个长着动物脑袋的人。真的很奇怪。"

"在哪里?"我问。

"跟我来。"

我们俩又看了本舅舅一眼，他还是双膝跪在地上，挖着墙上的石头。

然后我便跟着莎莉走出了墓室。

我们侧着身子穿过狭窄的地道，拐过一道弯，走进右边那条稍宽的地道。我在她后面几步，突然犹豫了一下。"你确定我们能回来吗?"我问，声音轻轻的，这样她就不会听出我声音中的恐惧了。

"没问题。"她回答，"把手电拿好。这条地道的另一头有一个小室，里面挺干净的。"

我们沿着地道走着。随后前面出现了两个低低的入口。莎莉进了左边的那个。

里面有点儿热，空气很不新鲜，就像有人在里面吸过烟似的。

这条地道比其他的稍微宽一点儿。莎莉在我前面快步走着。"喂——等一下!"我喊。

我低头看到自己的鞋带又松了。我不满地大声咕哝着，弯下腰去系鞋带。

"喂，莎莉，等等我!"

她似乎没听见我的叫声。

我能看到前面远处她的手电筒射出的光，在地道里越来越暗。

然后突然消失了。

是她的手电筒没电了吗？

不是。地道可能是弯的，我觉得。我只是看不到她了。

"喂，莎莉！"我喊道，"等等我！等等我！"

我睁大眼睛盯着黑暗的前方。

"莎莉？"

她为什么不回答我？

5 一具神秘的木乃伊棺材

"莎莉!"

我的呼喊声在长长的弯弯曲曲的地道里回响着。

没有人答应。

我又叫了一遍,听着回音一遍又一遍地重复着她的名字,直到渐渐消逝。

起初我很生气。

我知道莎莉在干什么。

她故意不回答我,故意想吓唬我。

她一定要证明她才是勇敢者,而我是胆小鬼。

我忽然想起了几年前的一件事。有一次,莎莉和本舅舅来我家看我们。那时莎莉和我大概七八岁。

我们在房子外面玩。天阴沉沉的,仿佛快下雨了。莎莉有一条跳绳。像往常一样,她正在卖弄自己跳绳的本领。接着，当然，她让我试一下，而我却被绳子绊倒了，她发狂似的大笑起来。

我决定报复她一下，就把她带到离我家两个街区之外的一座废弃房子里。附近一带的孩子们都相信房子里有鬼出没，很适合去里面探险。但父母们总是警告我们离它远点儿，因为它快倒塌了，很危险。

所以我就带着莎莉来到这座房子，告诉她里面有鬼。我们通过破损的地下室窗口偷偷地溜了进去。

外面天更暗了，并且下起雨来。这可真完美。我感觉得到莎莉确实很怕一个人待在这座令人毛骨悚然的房子里。而我当然一点儿都不怕，因为我以前去过那里。

接着，我们开始探险，由我带路。可不知怎的我们失散了。外面电闪雷鸣，倾盆大雨从破碎的窗户打进来。

我觉得我们该回家了，就大声叫着莎莉，可是没有人回答。

我又叫了一遍，还是没有人回答。

接着我便听到了一声巨大的撞击声。

我大声叫着她的名字，从一个房间跑到另一个房间。我几乎被吓死了。我断定发生了什么可怕的事。

我找遍了每个房间，可是都没找到她。我越来越害怕，不断地喊啊喊，可是没人回答我。

我吓得哭了起来，惊慌失措地冲出了房子，冲进了倾盆大雨之中。

在电闪雷鸣中，我一路大哭着跑回了家。等我跑到家时，全身都湿透了。

我冲进厨房，一边抽泣一边高声叫着："我把莎莉丢在鬼屋里了！"

可她就在那里。就坐在厨房的桌子边，身上干干的，正吃着一大块巧克力蛋糕，脸上开心地微笑着，一副舒适惬意的模样。

而现在，我在一片黑暗的金字塔里睁大了眼睛，知道莎莉正在对我做同样的事。

她想吓吓我。

想看我狼狈的模样。

真是这样吗？

我在又低又窄的地道里向前走着，用手电照着正前方，不得不担心地想着。我内心的生气很快变成了担忧，令人不安的问题在我脑子里盘旋着。

要是她不是在对我开玩笑呢？

要是她碰到什么不好的事情了呢？

要是她一脚踩空，掉到一个洞里去了呢？

或者她被困在一条隐蔽的地道里了呢？或者……我不知道还会有什么别的。

我已经失去了镇静。

我开始在蜿蜒的地道里小跑起来，鞋子响亮地敲在铺满沙子的地板上。"莎莉？"我发疯似的喊，也不管自己的声音是否显得太慌张。

她在哪儿？

她不可能离我太远的。我至少应该能看到她的手电筒射出的光，我想。

"莎莉？"

在这狭窄的空间里，没有地方可以躲藏的。难道是我走错地道了吗？

不可能。

我一直在同一条地道里。我就是在这条地道里看着她消失的。

不要说"消失"，我骂自己，甚至都不要想到这个词。

突然这条地道到头了，前面的入口通向一个正方形的小室。我用手电筒迅速地在里面照了照。

"莎莉？"

她不在这里。

墙上光秃秃的。空气暖烘烘的，很不新鲜。我用手电筒迅速地扫射着地板，寻找莎莉的脚印。这里的地面更硬，沙子不是很多。上面没有脚印。

"啊！"

手电筒光照到前方靠墙而放的一件东西上，我低声喊了起来。我的心怦怦跳着，急忙往前走了几步，走到离它几英尺处。

是一口木乃伊棺材。

一口巨大的石头棺材，至少有八英尺长。

它是长方形的，四个角弯弯。棺盖上有雕刻。我往前走近了些，把手电筒照到上面。

是的。

棺盖上雕着一张人脸——一张女人脸，看起来像是一张死亡面具，我们在学校里研究过的。它那双大睁着的眼睛正盯着天花板。

"哇!"我大叫了一声。这是一口真正的木乃伊棺材。

棺盖上雕刻着的那张脸上肯定曾经上着色彩鲜艳的漆。但几千年过去了，颜色退去了。现在，这张脸跟死人一般苍白。

盯着那光滑而完美的棺盖，我想知道本舅舅是否见过它。或许是我先发现了它呢?

为什么它被孤零零地放在这个小房间里? 我很纳闷。

它里面装的是什么?

我鼓起勇气，想伸出一只手去碰棺盖上那光滑的石头。这时我忽然听到了吱嘎一声。

只见棺盖开始往上掀起。

"啊!"我脱口低声喊道。

一开始我以为是自己的幻觉。我一动不动地呆立着，让手电筒的光照在棺盖上。

棺盖又往上抬高了一点儿。

接着我听到从大棺材里面传出咝咝的声音，就像打开一个新咖啡罐时，空气从罐里冒出来的声音。

我又低声喊了一下，往后退了一步。

棺盖又往上抬高了一点儿。

我又往后退了一步。

手中的手电筒掉在地上。

我颤抖着捡起手电筒，又照到木乃伊棺盖上。

现在棺盖开了差不多快一英尺了。

我深深地吸了口气，然后屏住呼吸。

我想跑，可是我的腿像冻住了似的，动弹不得。

我想喊，可是我知道自己喊不出声音。

棺盖吱嘎地响着，又开了一点儿。

又一点儿。

我把手电筒的光往下照到棺盖开口处，光线随着我的手抖动着。

我看到两只眼睛从这口黑糊糊的棺材里往外盯着我。

6 一种奇怪的病

我无声地吸了口冷气。

呆住不动了。

我感到后背一阵凉飕飕的。

棺材盖又往上抬高了一点儿。

两只眼睛盯着我。那眼神冷酷而邪恶。

是古人的眼睛。

我张大了嘴巴，想也没想就大声尖叫起来。

我声嘶力竭地尖叫着。

就在我只管尖叫，既不能转身，也不能跑开，动也动不了时，棺材盖一直在慢慢打开。

就像在梦中一样，木乃伊棺材里升起了一个黑色的身影，它从里面爬出来了。

"莎莉！"

微笑在她脸上蔓延开来，一双眼睛愉快地闪烁着。

"莎莉——这一点儿也不好玩！"我好不容易尖声喊了出来，声音在小室里回响着。

可她笑得太大声了，根本听不到我说话。

那是大声而轻蔑的笑声。

气死我了，我发疯似的想找点儿东西向她扔过去。可是地上什么也没有，连一块鹅卵石也找不到。

我瞪着她，胸口仍然剧烈地起伏着。我真的恨她，她完全把我耍了。刚才我就像个小宝宝一样尖叫。

我知道她这辈子都会拿这事儿取笑我的。

绝对不会。

"看看你脸上的表情！"她总算止住了笑，大声说，"我真希望把照相机带来。"

我气得说不出话，只是向她怒吼着。

我从口袋里掏出那只小小的木乃伊之手，在手里揉搓着它。每当我心烦意乱的时候，我总是摆弄那只手。它总能让我平静下来。

可是现在我觉得自己怎么也没法平静下来。

"我告诉过你我昨天发现了一口空的木乃伊棺材。"她说，把脸上的头发拨到后面，"你不记得了？"

我又怒吼了一声。

我觉得自己就像个十足的笨蛋。

我先是被她爸爸那愚蠢的木乃伊装扮给骗了，现在又被她骗了。

我暗暗向自己发誓，这个仇一定要报。即使我以前从没做过这样的事。

她还在为她那了不起的玩笑咯咯笑着。"看看你脸上的表情。"她又提起来，还摇了摇头。她这是往我伤口上撒盐。

"要是我吓着你了，你绝不会高兴的。"我生气地抱怨。

"你不可能吓到我的，"她回答，"我可不是这么容易受到惊吓的。"

"是吗?"

那就是我所能想到的最好的回敬了。不太高明，我知道。可是我实在太生气了。

我幻想着自己一把揪住莎莉，把她塞回到木乃伊棺材里，盖上棺盖，把棺材锁上……这时我听到地道里传来一阵脚步声。

我瞟了一眼莎莉，看到她脸上的表情变了。她也听到了。

几秒钟后，本舅舅闯进了小室。即使在昏暗的光线里，我也能看出来他生气极了。

"我以为我可以相信你们的。"他咬牙切齿地说。

"爸爸……"莎莉开口说。

他打断了她的话："我相信你们不会瞒着我乱跑的。你知道在这儿多容易迷路吗？也许永远出不来的！"

　　"爸爸，"莎莉又开口说，"我就是带加比来看看我昨天发现的这个地方。我们马上就会回去的，真的。"

　　"这里有几百条地道，"本舅舅激动地说，没理会莎莉的解释，"也许有几千条，许多地道都没人走过。以前没有人到金字塔的这块区域来过，我们不知道这里有什么危险，你们俩不能这样随便乱走。你们知道当我转身发现你们不见了的时候，我有多着急吗？"

　　"对不起。"莎莉和我异口同声地说。

　　"我们走吧。"本舅舅说，用手电筒指了指门，"你们今天的金字塔之行到此结束了。"

　　我们跟着他走进地道。我感觉糟糕透了。我不但上了莎莉的当，还把我最喜欢的舅舅惹火了。

　　莎莉总是给我带来麻烦，我恨恨地想。从小就这样。

　　现在她走在我前面，牵着她爸爸的胳膊，把脸贴在他耳边，跟他说着什么。突然，他们爆发出一阵大笑，回过头来看了看我。

　　我能感到自己的脸一阵发烫。

　　我知道她在跟他说什么。

　　她告诉他，刚才她怎么躲在木乃伊棺材里，而我怎么怕得像个受惊的宝宝一样大声尖叫。现在他们都在笑我是个大笨蛋。

"祝你们俩圣诞快乐!"我怨恨地喊。

这使他们笑得更厉害了。

我们回到开罗的宾馆里去过夜。我和莎莉玩拼字游戏,我连赢了她两次,可这并没让我感到好受些。

她不断地抱怨她只有元音字母,所以游戏并不公平。最后,我把拼字游戏图版放回了房间,我们坐下来看电视。

第二天早上,我们在房间里吃早饭。我叫的是薄煎饼,可这里的煎饼跟我以前吃过的任何一种煎饼的味道都不一样。它们吃起来硬邦邦的,很粗糙,就像是用牛皮做的。

"我们今天做什么?"莎莉问本舅舅。他已经喝了两杯浓咖啡,却还在打哈欠,伸懒腰。

"我在开罗博物馆有个约会,"他告诉我们,看了一眼手表,"离这儿就两个街区。我想,我开会的时候,你们俩可以在博物馆转转。"

"哇!惊悚和恐怖!"莎莉讽刺地说着。她出声地喝了一勺甜玉米片。

那只甜玉米片盒子上写满了阿拉伯语,上面那只托尼老虎正用阿拉伯语说着什么。我想把它带回美国给我的朋友们看看。可是我知道要是我向莎莉要的话,她肯定会笑话我的，所以我没向她要。

"博物馆里收集了许多很有意思的木乃伊，加比，"本舅舅对我说，他想再给自己倒一杯咖啡，可是咖啡壶已经空了，"你会喜欢的。"

"除非它们能从棺材里爬出来。"莎莉说。

差劲。真差劲。

我向她伸出舌头。她把一片湿玉米片向我掷过来。

"我爸爸妈妈什么时候能回来?"我问本舅舅。我忽然发现自己想他们了。

他刚要回答，电话铃响了。他走进卧室去接电话。那是一台黑色的老式电话机，上面是一个转盘，而不是按键。他说话时，一脸担忧的表情。

"我们的计划有变化了。"几秒钟后，他挂上电话，走回起居室，对我们说。

"出了什么事，爸爸?"莎莉问，推开装玉米片的碗。

"非常奇怪，"他回答，搔着后脑勺，"我的两个工人昨天晚上生病了。他们得了一种很奇怪的病。"他一脸着急，似乎在思考着什么，"他们已经被送进了开罗的一家医院。"

他开始收拾钱包和其他一些东西。"我得马上过去看看。"他说。

"那加比和我怎么办呢?"莎莉看了看我。

"我就去一两个小时，"她爸爸回答，"你们待在房间里，好吗？"

"在房间里？"莎莉叫起来，仿佛那是一个惩罚。

"好吧，你们可以到楼下大厅里去。不过不要离开宾馆。"

几分钟后，他穿上那件黄褐色旅行夹克，最后检查了一遍东西，确认已经把钱包和钥匙装好了，便匆匆地离开了房间。

莎莉和我闷闷不乐地面面相觑。"你想干什么？"我问，用叉子戳着盘子里那块一口也没动过的凉煎饼。

莎莉耸了耸肩："这里热吗？"

我点点头："是的。差不多有一百二十华氏度（相当于五十摄氏度左右。——译者注）。"

"我们一定要离开这儿。"她说，站起来活动着身体。

"你是说到楼下大厅里去吗？"我问，依旧戳着煎饼，用叉子把它们戳成碎片。

"不是。我是说离开这儿。"她回答，走到入口处的镜子前，开始梳她那头黑色的直发。

"可是本舅舅说过……"我开口说。

"我们不会走远的，"她说，接着很快加了一句，"如果你害怕的话。"

我对她做了个鬼脸。我想她没看见。她正忙着在镜子前欣赏自己呢。

"好吧，"我说，"我们可以去博物馆。你爸爸说博物馆就在这儿附近。"

我决定不再做胆小鬼了。如果她想违抗她爸爸的意思到外面去，我没意见。我决定，从现在开始，我要做一个有男子汉气概的人。昨天的事情再也不会发生了——永远不会。

"博物馆？"她做了个鬼脸，"那么……好吧。"她说道，转身看着我，"我们已经十二岁了，毕竟已经不再是小宝宝了。只要我们想，就可以出去。"

"是的，我们可以出去。"我说，"我给本舅舅留张便条，告诉他我们去哪儿了。万一他回来得比我们早的话。"我走到桌子边，拿起一支笔和一本便笺簿。

"要是你害怕了，加比宝贝，我们就在街区周围转转。"她用一种戏弄的语气说道，盯着我看，等着看我如何反应。

"没门！"我说，"我们要去博物馆。除非你害怕了。"

"没门！"她学着我说。

"别叫我加比宝贝。"我又加了一句。

"加比宝贝，加比宝贝，加比宝贝！"她低声叫着，只是想惹我生气。

我给本舅舅写了张便条。然后我们乘电梯到了宾馆大

054

厅。我们问前台的一个年轻女人去开罗博物馆怎么走。她告诉我们，走出宾馆后向右转，再向前走过两个街区就到了。

　　当我们走到明亮的阳光下时，莎莉犹豫了一下。"你确定要去那儿吗？"

　　"有什么问题吗？"我回答。

7 遭遇阿麦德

"我们走吧，往这边走。"我说，把一只手放在眼睛上，挡住刺眼的阳光。

"热死了。"莎莉抱怨。

街上吵闹而拥挤。除了汽车喇叭声，我什么也听不见。

这里的司机一发动汽车，就一直把手按在喇叭上，直到开到目的地才松开手。

莎莉和我紧贴在一起，在拥挤的人行道上往前走。各种各样的人从我们身边走过。

有的人穿着美国式的公务西装，有的却好像穿着宽松的白色睡衣。

我们看到各种各样的女人。有的穿着时髦的裙子和宽松的裤子，腿上是色彩鲜艳的绑腿，有的穿着牛仔裤，就跟在美国街上看到的女人没什么两样。她们后面的女人却穿着飘逸的黑色长衫，脸上蒙着一块沉甸甸的黑纱。

"这看起来确实不像美国！"我大声喊着，竭力使自己的声音盖过汽车喇叭声。

我着迷地看着拥挤的人行道上那些穿着奇特的人们，甚至忘记注意路两旁的建筑物了。不知不觉中，我们已经来到博物馆面前。这是一座高大的石头建筑物，耸立在街道上，前面是陡峭的台阶。

我们登上台阶，从旋转门走了进去。

"哇，这里真安静！"我小声地说。离开那吵闹的喇叭声、拥挤的人行道和大嚷大叫的人们，感觉真不错。

"你觉得他们为什么老摁喇叭？"莎莉蒙着耳朵问。

"是他们的习惯吧，我想。"我回答。

我们停了下来，往四周看了看。

我们正站在一个巨大的露天大厅中心。两道高高的大理石楼梯分别从前方的左边和右边盘旋升起。在通向后部的宽阔门口，矗立着两根一模一样的白色柱子。右边的墙上有一幅巨大的壁画，上面描摹着俯瞰金字塔和尼罗河的景色。

我们站在大厅中心，欣赏了一会儿壁画。随后我们走到后面，向问讯处的一个女人打听木乃伊陈列室在哪里。她友好地冲我们微笑了一下，用标准的英语告诉我们从右边的楼梯上去。

我们的鞋子在闪闪发光的大理石地板上啪嗒啪嗒地响着。楼梯似乎没完没了地向上延伸。"就像是在爬山。"爬到一半时，我抱怨。

"我们来比赛，看谁先爬到上面。"莎莉咧嘴笑着说。我还没来得及回答，她就一个箭步冲了上去。

结果理所当然，她比我快了大约十级台阶。

我等着她说我"行动迟缓"或"像蜗牛一样"什么的，可她已经掉头去看着前面了。

前面的房间里，天花板高高的，光线昏暗，似乎无限地伸向前方。门口中间放着一个玻璃陈列箱，里面展出了一个用木头和泥土搭建起来的建筑工地。

我走上前去看个究竟。只见几千名工人拖着一堆堆巨大的石灰石，穿过沙漠正向一座造了一半的金字塔前进。

在陈列箱后面的房间里，我能看见高大的石头雕像、巨大的木乃伊棺材、玻璃杯和陶器，以及一箱箱的石器制品和遗物。

"就是这儿！"我高兴地喊起来，跑到第一个陈列箱旁边。

"咦，那是什么？是一条大狗吗？"莎莉指着靠着墙的一座大雕像问我。

这只动物仿佛长着猛犬的脑袋和狮子的身体。它的眼睛笔直地瞪着前方，似乎随时准备扑向靠近它的人。

"他们把这种动物放在坟墓前面，"我告诉莎莉，"你知道，这是为了保护坟墓，把那些盗墓人吓跑。"

"就像看门狗一样。"莎莉说着，走近了这座古代雕像。

"哎——这里面有一具木乃伊！"我激动地喊，将身体靠在一具古老的石头棺材上，"快看！"

莎莉走到我旁边，一边还回头盯着那头巨兽："没错，是木乃伊，是的。"她淡淡地说，好像一点儿也不激动。我猜她见过的木乃伊比我多多了。

"真小！"我说，盯着那些紧紧地裹在木乃伊头部和身体上的发黄的亚麻布。

"我们的祖先长得真像虾米。"莎莉说，"你觉得它是男人还是女人？"

我看了一眼棺材旁边的标牌："上面写着这是个男人。"

"我猜他们那时候不锻炼。"她说着，一边笑起来。

"他们包得真严实，"我说，琢磨着放在木乃伊胸口的那双手，手指上的绷带如此细密地缠绕着，"去年万圣节时，我扮成了木乃伊。可是不到十分钟，我身上的绷带就全松开了！"

莎莉咂了咂舌头。

"你知道他们是怎么制作木乃伊的吗？"我问她，走到另一边去看它，"你知道第一步怎么做吗？先把脑浆去掉。"

　　"讨厌。别说了！"她说，吐了吐舌头，做了个鬼脸。

　　"你不知道这些吗？"我问，很高兴发现自己知道这些可怕的信息，而她不知道。

　　"别说了……够了！"她说，抬起一只手，仿佛要把我推开。

　　"不，这很有意思。"我继续说，"必须首先去掉脑浆……"

　　"别说了！"莎莉哀求着，掩住了耳朵。

　　我高兴极了。

　　我从来不知道莎莉生性怕恶心。我的确使她感到恶心了。

　　这太好了！我心想。

　　我一定要记住这个办法。

　　"这都是真实的。"我告诉她，禁不住咧开嘴笑着。

　　"快闭嘴！"她大声怒喊。

　　"可这都是真的，"我说，"你爸爸没跟你说过木乃伊是怎么制作的吗？"

　　她摇了摇头："他知道我不喜欢……"

　　我忽然意识到莎莉正吃惊地看着的并不是我。

事实上她正瞪着我后面。

"怎么了?"我转过身去,马上就明白了她为什么如此吃惊。

一个男人走进了房间,正站在第一个陈列箱前面。过了几秒钟我才认出他是谁。

是阿麦德,那个扎着一条黑色马尾辫、古怪而沉默的埃及人,在金字塔里面他那么冷淡地欢迎了我们。他还穿着同样的衣服,宽松的白色衬衫和裤子,脖子上包着红色头巾。他脸上的表情仍然很不友好,甚至可以说很生气。

莎莉和我同时离开木乃伊棺材。阿麦德的眼睛在我俩身上分别扫视着,然后向我们迈近了一步。

"加比,他在跟踪我们!"莎莉小声地说。

她抓住了我的胳膊。我发现她的手冷得像冰块一样。

"我们出去吧!"她说。

我犹豫了一下。我们不该停下来跟他打声招呼吗?

但是阿麦德脸上那严厉而坚定的表情告诉我,莎莉是对的。

我们转过身,飞快地从他身边走过,走到那间大房子里。莎莉走在我前面几步。

我转身看见阿麦德小跑着向我们追过来。

他气恼而恫吓地对我们喊了一句什么。我听不懂是什么意思。

"快跑！"莎莉喊。

我们都用尽力气奔跑起来，鞋子噔噔噔地敲着锃亮的大理石地板。

我们跑过一个巨大的玻璃陈列箱，里面垂直地放着三口木乃伊棺材。接着我们沿着一条宽敞的通道跑着。通道两边陈列着一些雕像和一排架子，架子上摆着古代陶器和金字塔遗物。

我听到阿麦德在身后生气地大声喊着："回来！快回来！"

听起来他确实很生气。

他那啪嗒啪嗒的脚步声在空旷的大房间里回响着。

"他快追上我们了！"我对莎莉喊。她跑在我前面几步。

"这里一定有门可以出去！"她气喘吁吁地回答。

但我马上看到，前面并没有出口。我们快跑到后墙了。我们跑过一座巨大的司芬克斯雕像，停了下来。

我们已经无路可走了。

前面没有门，也没有出口。

只有一道坚固的花岗岩墙壁。

我们俩转过身来，看到阿麦德得意地睁大了眼睛。

他把我们堵住了。

8 我们被绑架了

阿麦德在我们前面几英寸处停了下来。他扶着腰，像条狗似的大口喘着气，生气地瞪着我们。

莎莉看了我一眼。她脸色苍白，确实被吓坏了。我们俩都把背靠在墙上。

我艰难地咽了一口口水。我的喉咙又紧张又干燥。

他要对我们做什么呢？

"你们为什么跑？"阿麦德终于开口说道，他依旧扶着腰，好像肚子抽筋了，"为什么？"

我们没有回答他。我们俩都瞪着他，看他要做什么。

"我给你带来了你爸爸的一个口信。"他对莎莉说，依旧艰难地呼吸着，他从脖子上解下那条红头巾，擦了擦汗淋淋的额头，"你们为什么跑？"

"口信？"莎莉结结巴巴地问。

"是的，"阿麦德说道，"你认识我的，我们昨天见过的。我不明白你为什么跑。"

"对不起。"莎莉很快地说，愧疚地扫了我一下。

"我们没想明白，"我说，"莎莉把我吓着了，我就跟着她一起跑。"

"加比在对我说那些吓人的事。"她说道，用胳膊肘用力地撞了我一下，"是他的错。他一直在说那些木乃伊的事，把我吓坏了。我看到你的时候，还没反应过来，就……"

我们俩都喋喋不休地咕哝着。知道他并不是在追我们，我们俩都大感放松，也感到很不好意思——就那样从他身边跑开。

"你爸爸让我来接你们。"阿麦德说，那双黑眼睛转到我身上，"我没想到还得在博物馆里追你们。"

"对不起。"莎莉和我异口同声地说。

我觉得自己就像个笨蛋。我肯定莎莉也是这么想的。

"我爸爸回宾馆看见加比的便条了？"莎莉问。她往前走了一步，用手整理着头发。

"是的。"阿麦德点了点头。

"他从医院回来得真快啊。"莎莉说，瞟了一眼手表。

"是的。"阿麦德回答，"走吧，我带你们回宾馆去。他在那里等你们。"

我们一声不吭地跟着他。莎莉和我在他后面几步肩并肩地走着。

我们走下长长的楼梯，小心地互相看了看。我们都觉得自己好傻，就那样乱跑一气。

没过多久，我们便重新走在拥挤而嘈杂的人行道上，永不停息的车流鸣着喇叭从身边走走停停地经过，司机们都把头伸出车窗，大声叫着，挥着拳头。

阿麦德回头看了看，确信我们跟在后面，便拐到右边，带着我们穿过人群。现在太阳已经高高地挂在路边的房子上头了。空气又热又湿。

"喂，等等——"我高声大喊。

阿麦德回过头来，却并没停下脚步。

"我们走错路了。"我大声对他叫，声音盖过跟在一车蔬菜后面的一个街头小贩的叫卖声。"回宾馆应该走那条路。"我指着另一个方向说。

阿麦德摇了摇头："我的车在那边。"

"我们坐车回宾馆吗？"莎莉吃惊地问。

"宾馆离这儿只有两个街区，"我告诉阿麦德，"莎莉和我可以自己走路回去。你真的不一定要送我们。"

"这一点儿也不麻烦。"阿麦德回答，把一只手牢牢地放在我肩上，另一只手放在莎莉肩上，带着我们继续向前走去。

我们穿过街，继续往前步行。路上越来越拥挤了。一只公文皮包在一个男人手里前后晃动着，不小心打到我肩上。我痛得大叫了一声。

莎莉笑了。

"你真有幽默感。"我讥讽地说。

"那还用说。"她回答。

"要是我们步行的话，现在我们已经走到宾馆了。"我说。

阿麦德一定是听到了这句话，因为他说："汽车就停在下一个街区。"

我们在人群中快步走着。过了一会儿，阿麦德在一辆有四扇门的小旅行汽车前停了下来。车身盖着一层灰尘，司机那边的挡泥板已经碎了。

他打开车后门，莎莉和我钻了进去。"哎呀！"我抱怨道。车里的皮座椅实在太烫了。

"轮子也很烫。"阿麦德说着钻进车里，系好安全带。他用两只手碰了几下方向盘，以适应它的热度。"他们应该发明一种新型汽车，停车时也能使车内保持凉爽。"

他发动了汽车，把它从路边开到车道上。

接着，他马上开始冲我们前面的汽车摁喇叭。我们在狭窄的街道上缓慢地向前移动着，每过几秒钟就得停下来一次。

"我不明白为什么爸爸不来接我们。"莎莉通过沾满灰尘的车窗，看着外面走过的人群，对我说。

"他说他会在宾馆里等你们的。"阿麦德在前排说。

这时，他猛地把车拐到一条宽阔一些的路上，开始加速。

过了好一会儿，我才发现我们走错了方向——离宾馆越来越远了。"呃……阿麦德……我觉得宾馆是在那边。"我说，指着后窗。

"我肯定你搞错了。"他轻轻地回答，眼睛直视着前方，"我们很快就会到的。"

"我没错，真的开反了。"我肯定地说道。

我有一个特点，方向感很好。爸爸和妈妈总是说只要有我在，他们就不需要带地图。当我走错方向时，我总能知道。

莎莉转身看着我，脸上出现了担忧的表情。

"坐好了，好好享受吧！"阿麦德说，通过后视镜注视着我，"你们系好安全带了吗？最好把它系好。"

他脸上微笑着，可是声音却冷冰冰的。他的话就像是一种威胁。

"阿麦德，我们走得太远了。"我说，开始感到害怕。

车窗外的房子变得低矮而破旧。我们似乎正在远离市区。

"坐好。"他用更加不耐烦的语气回答，"我知道我们去哪儿。"

　　莎莉和我互相看着对方。她看起来和我一样着急。我们都明白阿麦德是在对我们说谎。他不是带我们回宾馆，而是正在把我们带出市区。

　　我们被绑架了。

9 怪异的出租车司机

在后视镜里看见阿麦德的眼睛正盯着我，我便摆弄起安全带，假装在把它系好。我一边系，一边靠近莎莉，在她耳边小声说："车一停我们就行动。"

她一开始没听懂我的话，接着便明白了。

我们俩都紧张地坐着，眼睛盯着门把手，默默地等候着。

"你爸爸是个很聪明的人。"阿麦德说，在镜子里注视着莎莉。

"我知道。"莎莉十分紧张地回答。

汽车慢了下来，然后停住了。

"快！"我喊。

我们俩同时抓住了门把手。

我一把把车门推开，冲了出去。

汽车喇叭声在我前面和后面鸣叫着。我听见阿麦德吃惊地大声叫着。

车门仍然开着，我回头看见莎莉也逃出来了。她把车门关上，向我转过身来，眼睛睁得大大的。

我们一句话都没说，撒腿便跑。

我们跑进一条狭窄的街巷，汽车喇叭声似乎越来越响了。我们沿着狭窄的砖石街道并肩跑着，路两旁是两排高高的白色泥房。

我觉得自己就像迷宫里的一只老鼠。

街道越来越窄了。接着前面出现了一片宽敞的空地，里面摆满了水果摊和蔬菜摊。

"他追上来了吗？"莎莉喊，现在她落在我后面几步了。

我转过身，眼睛在赶集的人群中搜寻着。

我看见几个人穿着飘逸的白色长袍。两个身穿黑色衣服的女人走进市场，手臂里挎着一只篮子，里面放着香蕉。一个骑着自行车的男孩猛地把车子掉了个方向，免得撞上她们。

"我没看到他。"我回头向莎莉喊。

不过我们还是继续往前跑着。

我这辈子从来没有这么害怕过。

我默默地祈祷着：别让他追上来，别让他抓住我们，千万，千万!

我们拐过一个弯，来到一条宽阔而繁忙的马路上。一辆卡车突突地开了过去，后面拖着一辆拖车，上面站满了马匹。人行道上挤满了买卖东西的人。

莎莉和我在人群中艰难地向前走着。我们想就这样淹没在人群中。

最后，我们走到一家大商场门口，停了下来。我喘着气，弯下身，把两只手放在膝盖上，努力地调整呼吸。

"我们把他甩了。"莎莉说，注视着我们身后的那条路。

"是的，我们安全了。"我高兴地说。我对她笑了一下，可她没有笑。

她脸上充满了恐惧，眼睛继续盯着人群，一只手紧张地扯着一缕头发。

"我们没事了，"我重复了一句，"我们逃出来了。"

"现在还有一个问题。"她静静地说，眼睛依旧盯着人行道上熙熙攘攘的人群。

"什么……问题?"

"我们迷路了。"她回答，终于转过来看着我，"我们迷路了，加比。我们不知道我们在哪儿。"

我突然感到一阵胃痛。我害怕得想大叫起来。

可是我强忍住了。

我强迫自己假装不害怕。

以前莎莉总是那个勇敢者、胜利者、冠军，而我总是那个胆小鬼。可是现在她确实吓坏了，这次轮到我扮酷了，该让她看看谁是真正的冠军了。

"没问题！"我告诉她，抬头望着高高的玻璃和混凝土建筑，"我们去问问人家去宾馆怎么走就行了。"

"可是没有人会说英语！"她叫起来，声音带着哭腔。

"呃……这不成问题，"我说，声音没刚才那么乐观了，"我肯定会有人……"

"我们迷路了，"她难过地重复着，摇着头，"完全迷路了。"

接着我在马路牙子上找到了解决问题的办法。是一辆出租车，一辆空的出租车。

"走吧。"我说，拉起她的胳膊，拉着她向出租车走去。司机是一个瘦瘦的年轻男人，留着黑色的胡须，戴着一顶灰帽子，露出了丝状的黑头发。当莎莉和我坐进汽车后座时，他吃惊地转过头来。

"去开罗中心宾馆。"我说，向莎莉安慰地看了一眼。

司机一脸茫然地回头注视着我，仿佛他没听明白。

"请带我们去开罗中心宾馆。"我缓慢而清晰地重复。

可是，他把头往后一仰，得意地大笑起来。

10 又在地道里走失了

司机继续大笑着，直笑得眼泪在眼角打转。

莎莉抓住我的胳膊。"他是阿麦德的帮手，"她小声说，扭着我的手腕，"我们掉进他们的陷阱了！"

"什么？"我感到胸口一阵恐慌。

我觉得她弄错了。

她说的不可能是真的！

可是我不知道还能怎么想。

我抓住门把手，开始将身体向门边侧过去。可是司机举起一只手，示意我停下来。

"加比——快跑！"莎莉从后面重重地推了我一把。

"开罗中心宾馆？"司机突然问，用一根手指擦去眼泪，接着他指着挡风玻璃前面，说道，"开罗中心宾馆？"

莎莉和我同时向他手指的方向望去。

原来宾馆就在那里，就在街对面。

他又大笑起来，摇着头。

"谢谢。"我喊，从汽车里钻了出来。

莎莉在我后面钻出出租车，脸上挂着一个轻松的微笑。"我觉得那并不好玩，"我告诉她，"这个出租车司机的幽默感与众不同。"

我转过身，只见司机仍然在注视着我们，乐呵呵地笑着。

"走吧，"她催促着，拉了一把我的胳膊，"我们得告诉爸爸关于阿麦德的事。"

但让我们吃惊的是，宾馆房间里是空的。我写的那张便条仍然放在桌子上，在原来的地方，其他东西也没被动过或碰过。

"他没回来过，"莎莉说，捡起那张便条，在手里把它卷成一个小球，"阿麦德撒谎了——他说的都是谎话。"

我一头栽倒在沙发上，大声叹了口气。"真不知道发生了什么事，"我闷闷不乐地说，"完全不明白。"

房间门突然被打开了，莎莉和我尖声惊叫起来。

"爸爸!"莎莉大声喊着，跑过去一把抱住了他。

看到进来的人是本舅舅，而不是阿麦德，我当然高兴极了。

"爸爸，有一件奇怪的事……"莎莉开口说。

本舅舅用一只胳膊搂着她的肩膀，领着她穿过房间，走到沙发上。我能看出来他脸上带着茫然的神色。

"是的，是很奇怪，"他喃喃地说，摇着头，"我的两个工人……"

"什么？他们还好吗？"莎莉问。

"不，他们很不好。"本舅舅回答，一屁股坐在扶手椅的扶手上，紧紧地盯着我，心思却并不在我身上，"他们俩都……受到了极大的惊吓。我想只能这么说。"

"他们出事故了吗？在金字塔里？"我问。

本舅舅搔了搔他那光秃秃的后脑勺。"我不知道。他们不能说话，他们俩都……不能说一句话。我想是什么东西——或是什么人——把他们吓坏了。吓得他们说不出话来。医生们都很困惑。他们说……"

"爸爸，阿麦德想绑架我们！"莎莉插进来说道，紧握着爸爸的手。

"你说什么？阿麦德？"他眯起眼睛，不解地皱起眉头，"你是什么意思？"

"阿麦德，就是金字塔里的那个家伙。穿着白色衣服，戴着红色头巾，老是拿着一块夹纸板的那个。"莎莉解释。

"他告诉我们是你派他去接我们的。"我说，"他来到博物馆……"

"博物馆？"本舅舅跳了起来，"你们在博物馆干什么？我想我告诉过你们……"

"我们必须离开这儿。"莎莉说，把一只手放在爸爸肩上，想让他平静下来，"加比想看木乃伊，所以我们去了博物馆。可是阿麦德来了，把我们带上了他的汽车。他说他要带我们去宾馆见你。"

"可是他开车走了另一条路，"我把故事接下去，"所以我们从车里跳出来，逃走了。"

"阿麦德？"本舅舅不断重复着这个名字，仿佛他不能相信一样。"可他的证件和推荐信没有任何问题啊。"他说道，"他是个密码译解者，研究古代埃及人。他主要是对我们发现的墙上的文字和符号感兴趣。"

"那他为什么来找我们？"我问。

"他想带我们去哪儿？"莎莉问。

"我不知道。"本舅舅说，"不过我一定要知道真相。"他拥抱了一下莎莉。"这件事真神秘。"他继续说，"你们俩都没事吧？"

"没事，我们很好。"我回答。

"我得马上去金字塔，"他说着，放开莎莉，走到窗边，"我给工人们放了一天假。可是我必须得把这件事查个水落石出。"

乌云遮住了太阳。房间里一下子阴暗下来。

"我给你们叫一些吃的东西，"本舅舅说，一脸沉思的表情，"你们俩待在这里等我回来，好吗?"

"不行!"莎莉叫道，"你不能把我们扔在这儿!"

"为什么我们不能跟你一起去?"我问。

"对! 我们跟你一起去吧!"本舅舅还没来得及回答，莎莉就喊起来。

他摇了摇头。"太危险了。"他说，眯着眼睛看了看我，又看了看莎莉，"得等我知道我的两名工人到底发生了什么事……"

"可是，爸爸，要是阿麦德来了怎么办?"莎莉喊着，似乎真的很害怕，"要是他来这里怎么办?"

本舅舅皱起了眉头。"阿麦德，"他喃喃地说道，"阿麦德。"

"你不能把我们扔在这儿!"莎莉重复了一句。

本舅舅望着窗外渐渐暗下来的天空。"我想你们说得对，"他终于说，"我想我只能带上你们。"

"太好了!"莎莉和我同时放松地叫起来。

"不过你们得答应我，一定要贴紧点儿。"本舅舅严厉地说，一根手指指着莎莉，"我说认真的。不能走开，也不能搞恶作剧。"

我发现自己看到了本舅舅全新的一面。他虽然是个知名的科学家，在家里却一直喜欢玩一些轻松愉快的恶作剧。

可现在他很担忧。

严肃而忧虑。

在这吓人的秘密被揭开以前，他不再开玩笑了。

我们在楼下餐厅里吃了三明治，便开车穿过沙漠去金字塔。

我们开车的时候，沉重的乌云把太阳遮住了，在沙漠上投下阴影。阴暗的沙漠里，闪烁着蓝色和灰色的光芒。

不久，巨大的金字塔隐约出现在地平线上。当我们的车子开到几乎空荡荡的高速公路上时，金字塔变得更加庞大了。

我想起了几天前我第一次见到它的情景。那是多么壮观的景象。

可是现在，透过汽车挡风玻璃望着它，我只感到恐惧。

本舅舅把车停在金字塔后边的入口附近。我们跨出车，风刮着地，吹起沙子，卷到我们的腿上。

在地道入口处，本舅舅抬起一只手，示意我们停下来。

"给，"他说，他从包里取出一样东西，递给莎莉和我，"把这个别好。"

他递给我们每人一个呼机。"只要一按按钮，呼机就会呼我。"他说，并帮我把呼机别到我的牛仔裤腰带上，"这有点儿像跟踪装置。你只要一按按钮，它就会把电子信号输送到佩戴在我身上的部件上。我就可以顺着声音找到你们。当然，我不希望你们用它，我希望你们紧紧地跟住我。"

他把手电筒递给我们。"小心脚下。"他叮嘱着，"让光线照着你们脚下前面几码的地上。"

"我们知道的，爸爸，"莎莉说，"我们以前用过，你不记得了？"

"照着做就是了。"他简短地说，然后转身钻进黑糊糊的金字塔入口。

我在入口处停了一下，拿出我的小木乃伊之手。我只是想确认它在那儿。

"你拿那个干什么呀？"莎莉问，向我做了个鬼脸。

"这是我的好运符。"我说，把它塞回裤袋里。

她咕哝了一声，嬉笑着把我推进金字塔入口。

几分钟后，我们又一次小心地沿着长长的绳梯往下爬，进入第一条狭窄的地道。

本舅舅在前面带路，从他的手电筒里射出的巨大光圈在他前面的地道里一前一后地移动着。莎莉走在他后面几步，我走在莎莉后面几步。

这一次，地道似乎变得更狭窄了。我想这可能只是自己的错觉。

我紧紧地握着手电筒，跟着脚下的光线，低着头，避免撞到低矮而弯曲的天花板。

地道向左边延伸，接着往下倾斜，分成两条支路。我们走进了右边的那条。只听见我们的鞋子踩在多沙而干燥的地上时发出的咔嚓声。

本舅舅咳嗽了一下。

莎莉说了句什么，可我没听清。

我停下脚步，用手电筒照了照天花板上的一群蜘蛛。他们俩在我前面走了好几码了。

我跟着手电筒的光线往前走着，忽然看到自己的鞋带又开了。

"哦，天哪——又开了！"

我弯下腰去系鞋带，把手电筒放在旁边的地上。"喂——等等我！"我喊。

可是他们正争论着什么，可能没听见我的喊声。我能听见他们的声音在漫长而弯曲的地道里大声回响着，可是我听不清他们的话。

我匆匆忙忙地给鞋带打了两层结，抓起手电筒，站了起来。"喂——等等我！"我着急地喊。

他们去哪儿了呢？

我忽然发现自己再也听不到他们的声音了。

这种情况不可能再次发生！我心想。

"喂！"我喊，双手放在嘴边做成杯子状，喊声在地道里回响着。

可是没人回应我。

"等等我!"

这真是他们的典型做法,我心想。

他们讨论得太起劲了,完全忘了我。

我觉得自己与其说感到害怕,不如说是感到气愤。本舅舅再三向我们强调我们要紧跟在一起,可现在倒好,他们走开了,把我一个人扔在地道里。

"喂,你们在哪儿?"我喊。

还是没有人回答。

11 摔下地道

我用手电筒照着双脚前面的地板，缩着脑袋，沿着向右蜿蜒延伸的地道慢跑起来。

地板开始往上倾斜。空气十分干燥，散发出一股发霉的味道。我马上气喘吁吁起来。

"本舅舅！"我喊道，"莎莉！"

我对自己说，他们一定就在地道的下一个拐角处。我系鞋带的时间不长，他们不可能走远。

这时，我忽然听到一个声音，便停了下来。

仔细聆听着。

可是那个声音又没了。

是我听错了吗？

我忽然灵光一闪：这是否又是恶作剧？莎莉和本舅舅是不是躲起来了，等着看我怎么办？

这是不是他们又一个想吓唬我的拙劣把戏?

可能是的。我知道，本舅舅总是控制不住地要搞恶作剧。当莎莉告诉他她躲在木乃伊棺材里，把我吓得魂飞魄散时，他像条鬣狗般大笑起来。

现在他们俩都躲在木乃伊棺材里，等着把我绊倒在地吗?

我的胸口咚咚跳着。尽管地道里很热，我却觉得全身凉飕飕的。

不是，我心想。这不是恶作剧。

本舅舅今天十分严肃，既为他那病倒了的工人担心，也为我们告诉他的关于阿麦德的事担心。他没有心情搞恶作剧。

我重新往地道前方走去。我一路小跑着，一只手突然摸到了别在腰上的呼机。

我该使用呼机吗?

不，我不能。

那样的话莎莉会取笑我的。她会迫不及待地告诉每个人，我只在金字塔里待了两分钟，就摁响呼机喊救命!

我转过拐角。地道越来越窄了，两边的墙壁似乎向我身上压过来。

"莎莉! 本舅舅!"

没有回声。也许地道太窄了，无法形成回声。

地面更硬了，沙子更少了。在昏暗的光线里，我看见石灰石墙上有一道道参差不齐的裂缝，看起来就像从天花板上垂下一道道黑色的闪电。

"喂——你们两个到底在哪儿啊?"我大声喊。

地道前面出现了两条岔道，我停了下来。

我突然发现自己有多害怕。

他们到底去哪里了呢? 他们一定已经发现我没跟上他们。

我瞪着两个岔道口，用手电筒照照其中一条地道，又照照另一条。

他们走进了哪一条呢?

到底哪一条?

我的心怦怦跳着，跑进了左边的地道里，叫着他们的名字。

没有人回答。

我迅速退了出来，手电筒射出的光线飞快地在地板上扫射着，我一脚跨进右边的地道。

这条地道更宽一些，也更高些。它缓慢地向右边延伸。

地道迷宫。本舅舅是这么描述金字塔的。也许有几千条地道，他对我说过。

几千条!

继续往前走，我给自己打气。

继续往前走，加比。

他们就在前面。一定在！

我往前走了几步，喊着他们的名字。

我听到了什么声音。

是说话声吗？

我停了下来。现在又安静了，静得能够听见自己的心跳声。

那个声音又响起来了。

我屏住呼吸，仔细聆听着。

是唧唧啾啾的声音，很细小。不是人说话的声音，可能是昆虫或者老鼠发出来的。

"本舅舅！莎莉！"

一片静寂。

我又往前走了几步，接着又走了几步。

我打算放下自尊，呼叫他们。

要是莎莉为此捉弄我呢？

可我害怕得顾不上这个了。

如果我呼叫他们，他们马上就会到我身边来的。

可是正当我伸手到腰间去取呼机的时候，突然被一个声音吓了一跳。

那类似昆虫的唧唧声变成了东西裂开的声音。

我停下来听着，恐惧一下子上升到了喉咙口。

裂开的声音越来越响了。

听起来就像有人把撒盐饼干掰成两半。

越来越响，越来越响。

越来越响。

声音就是从我脚下发出来的！

我低下头去看地面。

把手电筒向脚下照去。

过了这么久我才意识到到底发生了什么事！

地道的地面在我脚下裂开了！

撕裂的声音越来越大，似乎从各个方向将我包围住了。

等到我终于意识到发生了什么，已经太晚了。

我感觉自己正在被往下拉，被一股强大的力量往下吸。

地面在我脚下裂开了，我往下面摔了下去。

往下掉，掉，掉到一个无底的黑洞里去。

我张开嘴，想大叫，可什么声音都发不出来。

我伸出双手抓着，可是什么也没抓到！

我闭上眼睛往下掉。

往下坠，坠，坠到令人眩晕的黑暗中去。

12 发现木乃伊

我听到手电筒哐当一声掉在地上。

接着自己便重重地摔到地面上。

我侧着身子倒在地上，全身一阵疼痛，眼前直冒金星。我眼前出现了一片鲜红，越来越亮，迫使我不得不闭上眼睛。我想，那股巨大的冲击力把我震晕了一会儿。

当我睁开眼睛，眼前一片模糊。我的腰受伤了，右臂肘部痛得直颤抖。

我试了试肘部，好像还能动。

我坐了起来。那层迷雾开始散去，似乎幕布正缓缓拉开。

我这是在哪儿？

一股酸溜溜的味道直钻进我的鼻子。是一股腐烂的味道，陈年腐土的味道，死亡的味道。

087

手电筒的光照在我旁边的混凝土地面上。我顺着光线，向墙上望去。

我不由得屏住了呼吸。

光线照亮了一只手。

一只人的手。

真的是人的手吗?

那只手上面是一只胳膊。那只胳膊僵硬地挂在一个直立的人体上。

我的手颤抖起来。我抓起手电筒，颤悠悠地把光线照到那个人体上。

那是一具木乃伊，我辨认出来了。它正站在前面的墙边。

那张没有眼睛、没有嘴巴、绑着亚麻绳的脸似乎正紧张地注视着我，就像等我先出击。

13 挤满木乃伊的密室

是木乃伊吗?

光束扫过它那张没有五官的脸。我拿不稳手电筒了,整个身体都颤抖起来。

我一动不动地呆立在原地,大口喘着气,瞪着那个可怕的影子。

我深深地吸了口腐臭的空气,然后屏住气,竭力使自己镇静下来。

那具木乃伊面无表情地盯着我。

它僵硬地直立着,两条胳膊放在身边。

它为什么直立在那里?我感到困惑,又深深地吸了口气。

古埃及人一般不会让他们的木乃伊像立正那样直立着的。

发现木乃伊并没有向前攻击我，我开始镇静下来。

"放松些，加比，放松些。"我自言自语，试图稳住紧抓在手中的手电筒。

我咳嗽了一下。这里的空气真污浊。

我呻吟着，爬了起来，用手电筒迅速前前后后地扫射着这具没有脸也不会说话的木乃伊之外的空间。

我发现自己在一间宽敞的、天花板高高的房间里。比本舅舅的工人们正在挖的那间大多了，也杂乱多了。

"啊!"当微弱的手电筒光束照出室内的一幅惊人景象时，我低低地叫了一声。深色的、绑着亚麻绳的人形密密麻麻地包围了我。

这个房间里挤满了木乃伊!

在摇曳的光线下，他们的影子似乎在向我压过来。

我哆嗦着往后退了一步，慢慢地把光线从这一骇人的景象中移开。

光线移到那些人形上，照出了绑着亚麻绳的胳膊、躯干、腿和蒙着的脸。

里面有这么多木乃伊。

有的靠在墙上；有的躺在石板上，两条手臂交叉放在胸前；有的以奇怪的姿势倚着，或低低地蹲着，或高高地站着，手臂笔直地放在前面，就像范海辛的怪物（英国科幻小说作家玛丽·雪莱作品里的一个用人工方法创造出的面目可憎的怪物。——译者注）。

一边的墙上放着一排木乃伊棺材，棺盖开着。我转过身，追随着弧形的灯光，发现自己正好摔倒在房间中心。

在我后面放着一些奇形怪状的器具。一些奇怪的、像耙子的工具，我以前从没见过的。还有一堆堆高高的布，以及巨大的坛坛罐罐。

放松些，加比，放松。

啊，缓慢地呼吸。

我小心地往前迈出了几步，拿稳了手中的手电筒。

又往前迈了几步。

我走到其中一堆布团旁。那很可能是亚麻布，用来制作木乃伊的布料。

我鼓起勇气，仔细看了看其中一些工具。我没敢碰它们，只是在摇曳的手电筒光线下盯着它们看。

那都是制作木乃伊的工具，是古代埃及人用来制作木乃伊的工具。

我走开了，回头看了看那群静止不动的木乃伊。

手电筒的光线在房间里扫着，照到地板上一块深色的正方形上。我好奇地走近了些，绕过两个一模一样的木乃伊，它们躺在地上，手臂交叉着放在胸前。

哎呀，放松些，加比。

我小心地在房间里向前移动，鞋子擦过地板，嚓嚓地响着。

地板上那块深色的正方形差不多有一个游泳池那么大。我弯下腰，想看得仔细些。

那表面软软的、黏黏的，像柏油。

这是古代的焦油坑吗？这口井是用来制作房间里那些威风凛凛的木乃伊的吗？

我突然打了个冷战，呆住不动了。

过了四千年，这口焦油坑怎么可能依然如此松软？

室内的一切——那些工具、木乃伊、亚麻布——为什么能保存得这么完好？

我意识到自己发现了一个难以置信的秘密。我从地板上摔下来，掉进了一个密室，一个制作木乃伊的密室。我发现了四千年前用来制作木乃伊的所有工具和材料。

那股酸味又钻进我鼻子里。我屏住呼吸，以免吐出来。那可是四千年以前尸体的味道，我心想。那股味道已经在这古老的密室里封存了几千年——直到现在。

我盯着身后那些正注视着自己的歪歪扭扭的无脸人形，伸出手去拿呼机。

本舅舅，你得马上赶来，我想。

我不想再一个人待在这里了。

你必须马上赶到这儿来！

我从腰带上解下呼机，把它拿到手电筒的光束下。

　　我要做的就是按一下按钮，那样本舅舅和莎莉就会赶来了。

　　我手中捏紧了那个小小的正方形，把手摸到按钮上——却马上惊慌地大叫了一声。

　　呼机已经摔坏了、碎了。

　　那个按钮根本按不动。

　　我摔到地上的时候，它肯定被我压在下面了。

　　它已经没用了。

　　我孤身一人在这间密室里。

　　我孤身一人和那些木乃伊待在一起。它们那没有五官的脸在幽深的黑暗中默默地注视着我。

14 可怕的蝎子

现在我独自一人。

我惊恐地瞪着那只报废了的呼机。

手电筒在手里颤抖着。

突然，屋内的一切——墙壁、天花板、黑暗，似乎都在向我逼近。

木乃伊似乎也在向我移动。

"咦?"

我往后倒退了一步，又一步。

我意识到自己把手电筒握得很紧，把手都握疼了。

光束照过那些无脸的人形。

它们没有动。

它们当然不会动。

我又后退了一步。那股酸味似乎越来越浓，越来越强烈了。我屏住了呼吸，但那味道钻进我的鼻孔和嘴里。我能闻到那股腐烂的味道，闻到四千年以前死亡的气息。

我把那只没用的呼机摔到地上，又往后退了一步，眼睛盯着那些咄咄逼人的木乃伊。

我该怎么办呢？

那气味让我觉得恶心。我得从这儿出去，得把本舅舅叫来。

又后退了一步。

"救命啊！"

我想大叫，可是我的声音却很虚弱，都是被那污秽而浓烈的空气害的。

"救命！听到我说话吗？"我叫得大声了些。

我把手电筒夹在腋下，把两只手放在嘴边做成杯子状，形成一个扩音器。"能听到我说话吗？"我喊着。

我绝望地等待听到回答的声音。

可是周围一片寂静。

莎莉和本舅舅在哪儿？他们为什么听不见我？他们为什么不来找我？

"救命啊！救救我！"

我抬起头，冲着天花板上的那个洞拼命大声叫着。我就是从那个洞里掉下来的。

"能听到我说话吗？"我尖叫。

内心的恐惧使我胸口发闷，两腿动弹不得。

恐慌就像巨浪，一阵阵地向我席卷过来，将我淹没。

"救救我！快来人啊！"

我又后退了一步。

突然听到我脚下嘎吱一响。

我尖叫了一声，向前扑去。

那个东西从我脚边滑开了。

我放松地大声呼出了一口气。

接着我感到有东西在擦着我的脚踝。

我喊出了声，手电筒从腋下摔了下去，哐当一声掉在地面上。

熄灭了。

那个东西又轻轻地擦了我一下。

我用力踢着，可什么也没踢到。

"啊，救命！"

地上有一些小动物，很多很多。

但那是什么呢？

又有东西拍打了一下我的脚踝。我拼命跺着脚。

我弯下腰，在黑暗中去摸手电筒。

我却摸到了硬邦邦、热乎乎的东西。

"啊，不要！"

我吓得大叫一声，猛地把手抽了回来。

我在黑暗中摸着手电筒，觉得整个地面都动起来了。地面在我脚下像波浪一般向前移动着、滚动着、摇动着、沸腾着。

我终于摸到了手电筒。我把它抓在手里，站了起来，颤抖着手把它打开。

我往后退的时候，有什么东西爬到我腿上来了。

那东西很硬，上面有刺。

我听到了咔嗒、啪嗒的声音，仿佛动物在互相撕咬。

我大声喘着气，胸口起伏着，全身被一阵恐惧攫住了。我跳了起来，想躲开这些东西。

脚下吱吱嘎嘎地响着。我跳过那些撞到我腿上的东西，跳到一边。

手电筒终于重新亮了。

我的心怦怦跳着，把黄色的光线投到地板上。

终于看到了在地上乱爬、乱咬的动物。

是蝎子！

刚才我一脚踩进了一窝令人作呕的蝎子里。

"啊——救命啊！"

我喊着，声音微弱得连自己都听不见。我甚至都没意识到自己喊出声来了。

在手电筒的光线下，我看到地上那些爬行动物的尾巴往上翘着，似乎时刻准备发动攻击。它们一边爬，一边轻轻地拍打着爪子。它们正从我的脚踝上爬过去。

"来人啊——救救我!"

一对爪子攫住了我的牛仔裤裤腿,我往后退去——可后面又有一只蝎子用尾巴拍着我的鞋背。

我挣扎着想挣脱这些有毒的动物,却不小心被绊了一下。

"不要!……不要啊!"

这下我站立不稳了。

开始向前扑倒。

我无助地伸出双手,可是抓不到什么东西。

我眼看就要一头栽倒在这堆蝎子中间了。

"不不不不不要!"

我往前倒着,发出骇人的大叫。

然后我感觉有两只手从后面牢牢地抓住了我的肩膀。

15 再次遭遇阿麦德

是木乃伊！我想。

我害怕得全身抽搐。

蝎子在我脚下蠕动着、撕咬着。

那双手牢牢地抓着我的肩，用力撑着我。

肯定是一双缠着亚麻绷带的苍老的手。

我无法呼吸，也无法思考。

我终于转过身来。

"莎莉！"我惊喜地喊道。

她又推了我一下。我们俩都向后退去，蝎子向我们张牙舞爪。

"莎莉……你怎么会……"

我们终于站在一块儿，向房间中间走去。

现在，逃离了那个令人恶心的蝎子窝，我终于安全了。

"你的小命保住了。"她轻声说，"讨厌。这些东西真恶心！"

"快告诉我……"我虚弱地说。我仍然能感到那些可怕的动物爬过我的脚踝，在我两条腿中间滑过，在我的鞋子下面窸窸窣窣地蠕动。

我想我永远也忘不了那窸窸窣窣的声音。

"你跑到这下面干什么来了？"莎莉不耐烦地问，就像在斥责一个小孩，"害得爸爸和我到处找你。"

我把她拉到房间中央，离蝎子更远些。"你是怎么到这儿来的？"我问，竭力调整着自己的呼吸，使怦怦的心跳平静下来。

她用手电筒指了指拐角处的一条地道，那是我不曾注意到的。"我在找你。爸爸和我失散了。你能相信吗？他停下来和一个工人说话，我没注意。等我回过头来，他已经不见了。然后我看到这里有灯光在动，还以为是我爸爸呢。"

"你也迷路了吗？"我问，用手背把额头的冷汗珠子擦掉。

"我没迷路，是你迷路了。"她问，"你怎么能那么做，加比？爸爸和我都吓坏了。"

"你们为什么不等我呢？"我生气地问，"我叫你们了，可你们就那样不见了。"

"我们没听见你叫我们。"她回答，摇着头。见到她我真高兴，可是我讨厌她看我的样子，就好像我是个无可救药的白痴。"我们又得吵架了。我们以为你就跟在我们后面。等我们转过身，才发现你不见了。"她摇了摇头，叹了口气，"今天真糟糕！"

"今天真糟糕？"我尖声叫，"今天真糟糕？"

"加比，你为什么那么做？"她问，"你知道我们应该待在一块儿的。"

"喂——这可不是我的错。"我生气地辩解。

"爸爸生气极了。"莎莉说，拿起手电筒照我的脸。

我抬起胳膊遮着眼睛。"把灯关掉！"我嚷着，"等他看到我发现的东西，他就不会生气了。你来看。"

我把手电筒的光束照到蹲在焦油坑旁的一具木乃伊上，再照到一具躺在地上的木乃伊上，接着照到那一排靠墙而放的木乃伊棺材上。

"哇塞！"莎莉夸张地张大了嘴，眼睛也睁得大大的。

"是的，哇塞！"我说，感觉稍微舒服了些，"这里全都是木乃伊，还有用来制作木乃伊的各种工具和布料。它们全都保存得很好，好像几千年来都没人碰过一样。"我掩饰不住自己的激动。"这都是我发现的。"我又说了一句。

"这里肯定是他们制作准备下葬的木乃伊的地方。"莎莉说，眼睛扫视着一具又一具木乃伊。"可为什么有的木乃伊站在那儿?"

我耸了耸肩。"你问我,我问谁呀?"

她走过去看那一堆堆折叠得整整齐齐的亚麻布。"哇塞,这可真惊人,加比。"

"棒极了!"我赞同,"要不是我停下来系鞋带的话,我永远也不会发现它。"

"你会出名的,"莎莉说,脸上荡漾着笑容,"多亏我救了你的命。"

"莎莉……"我说。

但她已经走开了,迫切地欣赏着一具站立的木乃伊。"我们等爸爸来看这些。"她说,似乎一下子变得跟我一样激动。

"我们得把他叫来。"我急切地说,回头瞟了一眼那个蝎子窝,感到脖子后面凉飕飕的。

"那时候的人个子真小啊。"她说,手里的手电筒贴近了木乃伊那缠着亚麻布的脸,"看……我比它还高。"

"莎莉,快使用呼机。"我不耐烦地说,向她走过去。

"真恶心,它脸上有几只爬虫。"她说着,向后退去,放低手电筒,做了个鬼脸,"恶心。"

"快点儿,快用呼机,把本舅舅叫来。"我说着,伸手去拿她腰上的呼机,可她躲开了。

"好吧,好吧。可你干吗不用你自己的呼机?"她怀疑地看着我，"你忘了，是不是，加比?"她批评着我。

"不是的，"我立刻回答，"我摔下来的时候，把呼机摔坏了。"

她做了个鬼脸，把呼机从她腰带环上解了下来。我用手电筒照着呼机，看着她按下了按钮。为了保险起见，她连按了两下，接着把它别回牛仔裤上。

我们抱着胳膊站在那儿，等着本舅舅跟着信号找到我们这儿来。

"我们不用等很长时间。"莎莉说着，眼睛望着角落里的那条地道，"他在我后面不远。"

她说得一点儿都没错，没过一会儿，我们就听到地道里响起了脚步声。

"本舅舅!"我激动地叫起来，"快来看我发现什么了!"

莎莉和我都向地道跑去，手中的手电筒发出的光在低矮的地道入口上下跳动着。

"爸爸，你不会相信……"莎莉开口说。

一个身影弯腰钻出了地道，站直了身子。莎莉却猛地住口了。

我们都恐惧地屏住了呼吸，手电筒的光束照亮了他那张胡子拉碴、表情怪异的脸。

"是阿麦德!"莎莉大叫，一把抓住了我的胳膊。

16 密室里的真相

我的呼吸急促起来了。

莎莉和我面面相觑，我看到她的脸紧张得绷起来了。

来的人是阿麦德。

他曾经想绑架我们，而现在我们又遭遇他了。

他往前迈了一步，一只手紧握着一个火把，熊熊的火焰照得他的黑发闪闪发光。他眯着眼睛，恐吓地盯着我们。

"阿麦德，你在这里干什么？"莎莉大声地问，她用力地抓着我的胳膊，痛得我缩了回去。

"你们在这里做什么？"他缓缓地问，声音跟他的眼睛一样冷冰。

他举起火把，走进室内，眼睛扫视着房间，似乎在检查里面的东西有没有被人动过。

　　"我爸爸很快就会来的。"莎莉警告着他，"我刚才呼叫他了。"

　　"我警告过你的爸爸。"阿麦德说，恶狠狠地瞪着莎莉。他的脸在火把那橙色火光的闪烁下忽隐忽现。

　　"警告他？"莎莉问。

　　"警告他关于魔咒的事。"阿麦德面无表情地说道。

　　"本舅舅对我说起过什么魔咒，"我说着，紧张地看了一眼莎莉，"可我觉得他不相信。"

　　"他应该当回事儿的！"阿麦德吼，眼睛里闪着怒火。

　　莎莉和我默默地注视着他。

　　本舅舅在哪儿呢？我疑惑着。

　　他为什么还没来？

　　快点儿来吧！我默默地祈求着。请——快快来！

　　"那个魔咒一定要应验，"阿麦德又轻轻地说，声音显得有些痛苦，"我没有别的选择。你们已经侵入了女祭司的房间。"

　　"女祭司？"我结结巴巴地问。

　　莎莉还在捏我的胳膊。我把胳膊抽了出来，她才果断地把双臂交叉放在胸前。

　　"这是女祭司卡拉的房间。"阿麦德说，放低了火把，"这是女祭司卡拉神圣的准备室，被你们闯进来了。"

　　"哦，可是我们并不知道。"莎莉嚷道，"我真不觉得这有什么大不了的，阿麦德。”

"她说得对，"我接下去说，"我们什么都没碰，没动任何东西。我想……"

"闭嘴，你们这两个笨蛋！"阿麦德尖叫起来。他生气地挥着火把，好像要打我们。

"阿麦德，我爸爸马上就会来的。"莎莉重复了一遍，声音颤抖着。

我们俩都回过头去看地道。地道黑黢黢的，一片沉寂。

没有本舅舅的踪影。

"你爸爸很聪明，"阿麦德说，"可他没在意我对他的警告，真糟糕。"

"警告?"莎莉问。

我明白她是在拖延时间，想让阿麦德一直说话，直到本舅舅赶到这里。

"我恐吓过那两个工人，"阿麦德向莎莉坦白，"我恐吓他们是为了让你爸爸明白，那个魔咒是真实的，我会实现卡拉的愿望。"

"你是怎么恐吓他们的?"莎莉问。

他微笑了一下："我向他们展示了一下被活活地架在火上烧烤是什么滋味。"他转身望着那个焦油坑。"他们不喜欢这样。"他平静地说。

"可是，阿麦德……"莎莉开口说。

他打断了她的话："你爸爸最好放明白点儿，不要到这里来。他应该相信我，相信女祭司的魔咒。女祭司对所有闯进这个房间的人都下了诅咒。"

"可是，你并不真的相信……"我开口说。

他威吓地举起手中的火把。"四千多年以前，卡拉下令，这间圣室不得受到侵犯。"他挥着火把大声喊着，橙色的火光在黑暗中舞动着，"从那时候起，卡拉的后代们就保证执行女祭司的命令。"

"可是，阿麦德……"莎莉大声喊他。

"现在轮到我了，"他不理会她，也不理会我，盯着天花板继续说，"现在，作为卡拉的后代，轮到我来实现魔咒了。"

我盯着阿麦德身后的地道，依然没有本舅舅的踪迹。

他会来吗？莎莉的呼机起作用了吗？

他是不是被什么事情耽搁了呢？

"我自告奋勇地为你爸爸工作，就是要保证卡拉的圣室不受侵犯，"阿麦德接着说，火光在他头上忽闪着，"可是他不听我的警告，我只能采取行动。我恐吓了那两个工人，接着又计划带走你们，把你们藏起来，直到他同意停止工作。"

他把火把放低了点儿，脸上充满了痛苦。"现在，我没有别的选择了。我必须担负起我的神圣职责，必须遵守对卡拉许下的承诺。"

107

"可这到底是什么意思？"莎莉问，橙色的火光照亮了她那张惊慌失措的脸。

"这是什么意思？"阿麦德重复了一遍，用火把做了个手势，"看看你们周围吧。"

我们俩都转过身去，飞快地看了看房间四周。可我们还是不明白他的意思。

"那些木乃伊。"他说。

我们还是不明白。"木乃伊怎么了？"我好不容易才结结巴巴地问。

"它们都曾经闯入过这个房间。"阿麦德把真相告诉了我们，脸上浮现出一丝微笑，那种表情只能用骄傲来形容。

"你是说……他们不是古埃及人？"莎莉叫起来，惊恐地用双手捂住脸。

"有一些是，"阿麦德回答，脸上依旧挂着那可怕的冷笑，"有些是古时候闯进来的，有些木乃伊的年份不太久。不过它们都有一个共同点：它们都死于这个魔咒，都是被活活制作成木乃伊的！"

"不！"我情不自禁地喊。

阿麦德不理会我的尖叫，继续说下去："那个是我做的。"他指着笔直地站在焦油坑旁边的一具木乃伊说道。

"天哪，真恶心！"莎莉说着，声音颤抖着。

我满怀希望地盯着阿麦德身后的地道入口，可是本舅舅的身影还是没有出现。

"今天，我又得工作了，"阿麦德宣布，"今天会产生新的木乃伊，卡拉的新战利品。"

"你不能那么做！"莎莉尖叫着。

我抓住了她的手。

惊恐中，我完全明白了，为什么有的木乃伊保存得如此完好。

因为它们是最近制成的。

这里的所有工具——焦油、亚麻布，都是卡拉的后代们——像阿麦德这样的后代们使用的。自从卡拉的年代起，任何一个进入这个房间的人——就是我们所在的这间——都被制成了木乃伊。

被活活制成了木乃伊！

现在莎莉和我也马上要变成木乃伊了。

"阿麦德，你不能这么做！"莎莉大声地喊。她放开拉着我的手，紧紧地握起了拳头。

"可这是卡拉的愿望。"他轻轻地回答，黑眼睛在火把的火光中闪着光。

我看见他另一只手中多了一把长长的匕首，刀锋在火把的火光中闪闪发光。

阿麦德开始坚定而迅速地向我们走来，逼得莎莉和我直往后退。

17 女祭司的魔咒

阿麦德步步逼近，莎莉和我退到了墓室中心。

快跑，我心里喊着。

我们可以逃走。

我发疯似的搜寻着我们可以逃出去的地方。

可是没有出口。

看来角落里的那条地道是唯一的出口。而我们只能从阿麦德身边跑到那个出口。

我看见莎莉绝望地按着腰上的呼机。她看了我一眼，脸绷得紧紧的。

"哎呀!"

突然，我撞到了什么人，不由得大叫起来。

我转过身，看到了一张缠着亚麻布的木乃伊脸。

我又大叫一声，跳到一边。

"我们跑到地道那边去，"我低声对莎莉说，我的喉咙又干又紧张，几乎听不见自己的声音，"他不能把我们两个都抓住的。"

莎莉困惑地看着我。我不知道她有没有听到我的话。

"你们跑不掉的，"阿麦德轻柔地说，似乎看穿了我的心思，"没有人能逃过卡拉的魔咒。"

"他……他要把我们杀死!"莎莉尖叫。

"你们已经冒犯了她的圣室。"阿麦德说，高高地举起火把，把匕首放在腰间。

他走得更近了。"昨天我看见你们爬到圣棺里去了，我看见你们在卡拉的圣室里玩耍。就是在那个时候，我明白我必须履行自己神圣的职责了。我……"

这时，有什么东西从天花板上掉了下来，把莎莉和我吓得叫了起来。

我们三个同时抬起头，只见一条绳梯从我摔下来的那个洞里垂了下来。绳梯前后摇晃着，一直垂到地面。

"你们在下面吗? 我来了!"本舅舅对我们喊。

"本舅舅——不!"我尖叫起来。

可他已经沿着梯子迅速往下爬了，绳梯摇晃着。

爬到一半时，他停了下来，往室内看了一下。"到底发生了什么?"他问，困惑地张望着下面。

接着他看到了阿麦德。

111

"阿麦德，你在这里干什么？"本舅舅吃惊地问。他一步跳过绳梯的最后三级，跳到地上。

　　"我只是在执行卡拉的遗愿。"阿麦德面无表情地说，眼睛眯着。

　　"卡拉？就是那个女祭司？"本舅舅困惑地皱起了眉头。

　　"他要杀我们！"莎莉叫着，冲到她爸爸面前，两条胳膊围住了他的腰，"爸爸——他要杀我们！还要把我们做成木乃伊！"

　　本舅舅抱着莎莉，用谴责的目光看着阿麦德："这是真的吗？"

　　"这个房间被冒犯了，博士，现在该由我来执行这个魔咒了。"

　　本舅舅把两只手放在莎莉颤抖的双肩上，让她在旁边站好，然后缓慢而坚定地向阿麦德走去。

　　"阿麦德，我们离开这儿商量一下吧。"他说，友好地向他伸出右手。

　　阿麦德往后退了一步，威吓地举起火把："女祭司的遗愿不能不执行。"

　　"阿麦德，你是一名科学家，我也是。"本舅舅说。我简直不敢相信他的声音有多镇定。我怀疑这是他装出来的。

眼前的场面十分紧张，巨大的危险正威胁着我们。

不过现在我知道有本舅舅在这里，稍微镇定了些。我知道他对付得了阿麦德，能让我们活着离开这儿。

我瞟了一眼莎莉，试图让她放心。她正咬着下唇，聚精会神地盯着她爸爸走近阿麦德。

"阿麦德，放下火把，"本舅舅催促，一只手仍然向前伸着，"也放下匕首。我们以科学家的身份商量一下吧。"

"有什么好商量的？"阿麦德轻轻地问，眼睛紧紧地盯着本舅舅，"卡拉的遗愿必须执行，四千年来一贯如此。这用不着商量。"

"以科学家的身份。"本舅舅重复了一遍，同样紧紧地盯着阿麦德，似乎在向他挑战，"那个魔咒太古老了。几千年来卡拉的愿望都实现了，也许现在是该让它休息了。放下武器，阿麦德。让我们以科学家的身份谈谈。"

一切都会没事的，我心想，长长地呼出一口气。会没事的，我们就要离开这里了。

可就在这时，阿麦德却以惊人的速度行动起来。

没有警告，也没说一句话，他高举起双手，紧握着火把柄，使出全身的力气向本舅舅的头打去。

火把打到了本舅舅的脸颊边，发出噼的一声巨响。

橙色的火焰飞舞起来。

好一阵绚烂的舞动。

接着只见一片阴影。

本舅舅呻吟了一声，眼睛睁得大大的。

既是由于吃惊，也是因为疼痛。

火把并没有把他烧着，却把他打晕了。

他跪倒在地，闭上眼睛，四肢无力地倒了下去。

阿麦德高举着火把，眼睛里闪着兴奋而得意的光芒。

我知道我们无路可走了。

18 阿麦德的命令

"爸爸!"

莎莉冲了过去,跪倒在她爸爸身边。

可是阿麦德行动敏捷,一边用火把刺向她,一边拿起比首,逼得她直往后退。

一股细细的血流在火光中闪着幽光,沿着本舅舅的脸颊边流下来。他呻吟着,但没有动弹。

我飞快地瞟了一眼散落在室内的那些木乃伊。真难以相信,我们很快就会加入到它们的行列中去了。

我想向阿麦德冲过去,把他撞倒在地。我幻想自己抓住火把,扔到他身上,把他逼到墙角,逼他放走我们。

可那把比首的刀刃闪着白光,似乎在警告我往后退。

我只是一个孩子,我心想。

想用一把刀和一个火把打败一个大人,这简直是疯了。

疯了。

整个场面显得疯狂而可怕。

我忽然觉得恶心，一阵反胃。

"让我们走——就现在！"莎莉向阿麦德尖叫着。

令我感到意外的是，他操起火把，向房间里扔过去。

火把扑通一声落在焦油坑的中心。焦油表面立即着了火，火苗迅速蔓延开来，直冲向天花板，终于，整个油坑都燃烧起来了。

我目瞪口呆地看着，焦油在橙色和红色的火焰下发出爆裂和冒泡的声响。

"我们得等它沸腾起来。"阿麦德平静地说道，跳动的火苗映照着他的脸和衣服。

室内烟雾缭绕，莎莉和我咳嗽起来。

阿麦德弯下腰，把双手放在本舅舅的肩下面，想拖走他。

"放下他！"莎莉叫起来，发疯似的向阿麦德冲过去。

我知道她想冲上去打他。

我抓住她的双肩，按住她。

我们不是阿麦德的对手。他已经把本舅舅打得不省人事了，谁知道他会对我们做出什么事情来？

我按着莎莉，盯着阿麦德。现在他打算做什么呢？

不一会儿我就知道了。

他用惊人的力气把本舅舅拖到靠在墙上的一口木乃伊棺材旁边。他把本舅舅侧立起来，再把他推到棺材里。然后，阿麦德心不跳、气不喘地把棺材盖子盖上了，把我那失去知觉的舅舅关在里面。

然后他转身对着我们。"你们两个……到那里面去。"他指着放在旁边一个高台上的一口大木乃伊棺材，说道。这口棺材差不多跟我一样高，起码有十英尺长。它肯定是用来装木乃伊及其所有的陪葬品的。

"放我们走吧！"莎莉继续恳求，"让我们离开这儿。我们不会告诉别人这里的事情的，真的！"

"请爬到那口棺材里去，"阿麦德耐心地重复了一遍，"我们必须等焦油烧开。"

"我们不进去。"我说。

我浑身颤抖着。我能感觉鲜血在自己的太阳穴里涌动。我甚至不知道自己到底在说什么。我害怕极了，连自己说了什么也没听见。

我看了一眼莎莉，只见她紧紧地抱着两条胳膊，高傲地站着。尽管她摆出了这么个勇敢的姿势，我能看到她的下巴在颤抖，泪水夺眶而出。

"到棺材里去，"阿麦德又重复了一遍，"去等待你们的命运。我不能让卡拉一直等着。古老的魔咒会以她的名义执行。"

"不！"我生气地喊。

我踮起脚跟，向那口巨大的木乃伊棺材里面望去。一股强烈的酸腐味扑鼻而来，几乎把我熏倒在地。

棺材是用木头做的。里面歪歪扭扭，污渍斑斑，有的地方木板已经脱落了。在闪烁的光线里，我看到几十只小虫子在里面爬来爬去。

"马上爬到里面去！"阿麦德命令我们。

19 被关进木乃伊棺材

莎莉先爬进木乃伊棺材里。她做什么事都想得第一，不过这一次我不介意。

我犹豫着，把一只手靠在棺材边缘那腐烂的木头上，看了一眼旁边的棺材，本舅舅就躺在那里面。那口棺材是用石头做的，厚重的石头棺盖已经严严实实地把棺材盖上了。

本舅舅在里面能呼吸到空气吗？我疑惑着，害怕极了。他能呼吸吗？

我郁郁地想，即使他能呼吸又能怎么样呢？我们三个人很快就会死去的。我们都会被制成木乃伊，永远锁在这间密室里。

"进去——马上！"阿麦德下了命令，一双黑眼睛怒视着我。

"我……我还是个孩子!"我叫。我不知道这些话是从哪里出来的。我怕得要命,实在不知道自己在说什么。

阿麦德的脸上出现了狞笑。"很多法老都是在你这年纪死去的。"他说。

我想让他继续说话。我有个奇怪的想法,如果我能使他继续跟我说话,我们就能从这儿逃出去。

可是我想不起来还能说什么。我大脑的思维凝结了。

"进去!"阿麦德下令,威吓地向我走过来。

我垂头丧气地把一条腿滑进腐朽的棺材里,站起来,再在莎莉身边坐下。

只见她低着头,眼睛闭得紧紧的。我想她是在祷告。我碰到了她的肩膀,她都没有睁开眼睛。

棺材盖在我们上面拉上了。我最后看到的是在焦油坑上方飘荡的红色火苗。然后棺盖把我们关进了无尽的黑暗。

"加比……"棺盖盖上后,过了几秒,莎莉低声说,"我感到害怕了。"

不知为何,她的坦白却让我窃喜不已。她说这句话的时候,带着十分惊讶的语气,好像这对她来说是一种可怕的新鲜体验。

"我是害怕得不再感到害怕了。"我小声回答她。

她抓住我的手,捏着它。她的手比我的还要凉,还要湿。

"他疯了。"她小声说。

"是的，我知道。"我回答，仍旧握着她的手。

"我觉得这里有虫子。"她说着，颤抖了一下，"我能感觉到它们在我身上爬。"

"我也是。"我告诉她。我意识到自己在磨着牙齿。我感到紧张的时候总是这么做。现在我感到自己从来没这么紧张过。

"可怜的爸爸。"莎莉说。

棺材里的空气开始闷热起来。我想屏住呼吸，尽量不呼吸那股酸腐味，可它却钻进了我的鼻子，我甚至能舔到它。我屏住呼吸，忍住呕吐的感觉。

"我们会被闷死在这儿的。"我郁郁地说。

"不用等到我们被闷死，他就会把我们杀死的。"莎莉悲叹道，"唉!"我听见她啪地打了一下胳膊上的小虫子。

"也许会出现奇迹的。"我告诉她。这真是自欺欺人，可是我想不到还能说些什么。我无法思考了。我的老毛病又犯了。

"我一直想着他要把我做成木乃伊……"莎莉叹道，"你为什么一定要告诉我那些事呢，加比?"

过了一会儿我才回答她。我能说的却只有三个字："对不起。"我开始想象相同的画面，于是又感到一阵恶心。

121

　　"我们不能光坐在这里。"我说，"我们必须逃走。"
我忍着不呼吸那股强烈的酸味。

　　"什么？怎么逃？"

　　"我们试试把盖子推开。"我说，"也许要是我们俩一
起用力的话……"

　　我小声数了一、二、三，然后我们俩用双手托住棺材
顶部，用尽力气往上推。

　　不行。盖子连动都没动一下。

　　"也许他把盖子锁上了，或是在上面放了很重的东
西。"莎莉伤心地叹了口气，说道。

　　"也许吧。"我回答，一样感到伤心。

　　我们在寂静中坐了一会儿。我能听见莎莉的呼吸声，
她似乎在抽泣。我发现自己的心跳得飞快，太阳穴突突地
跳着。

　　我的脑海里出现了阿麦德把我们做成木乃伊的场景。
我竭力不去想这幅画面，可它始终在我脑海里盘旋。

　　我想起了两年前的万圣节，我扮成了一个木乃伊。结
果，缠在我身上的那些亚麻布就在朋友们面前松开了。

　　那时，我根本想不到不久以后我自己就会被制成真正
的木乃伊，身上的亚麻布永远不会松开了。

　　时间一分一秒地过去了。我不知道过了多久。

　　我发现自己一直盘腿坐着，腿都麻木了。我把两腿分

开，向前面伸出去。木乃伊棺材很大，要是我们喜欢的话，我俩都可以躺下来。

可我们都太紧张，也太害怕，根本不能躺下来。

我听到了声音，似乎有什么东西在木乃伊棺材里飞快地蠕动着。

起先我以为是莎莉。可是她那只冷冰冰的手抓着我的手，我知道她并没有动。

我们俩支起耳朵仔细聆听着。

是有什么东西，就在我们旁边，撞到了棺材的边缘。

是木乃伊吗？

棺材里有一具木乃伊吗？

一具活的木乃伊？

我听到了轻轻的呻吟声。

莎莉抓紧了我的手，我疼得尖叫了一声。

那个声音又响了一下，离我们更近了。

"加比……"莎莉小声地说，声音又尖又细，"加比……这里面有东西跟我们在一起！"

20 木乃伊之手

那不是木乃伊，我对自己说。

不可能是木乃伊。

是一只虫子。一只大虫子，在棺材里爬行。

不是木乃伊，绝对不是。

这些话在我脑子里重复着。

我没有时间多想，因为那东西越爬越近了。

"喂！"有人低声叫着。

莎莉和我都尖叫了一声。

"你们在哪儿？"

我们立刻听出了那个声音。

"本舅舅！"我叫着，大口喘着气，心怦怦跳着。

"爸爸！"莎莉扑到她爸爸怀里。

"这是怎么回事？"我吃惊地问，"你是怎么进来的？"

"很简单。"他回答，摇着我的肩，让我安心。

"爸爸——我简直不能相信！"莎莉带着哭腔说。在黑暗中我看不见她的脸，可我觉得她在哭。

"我没事，没事。"他重复了几遍，想让她平静下来。

"你是怎么逃出那口棺材，跑到这里来的？"我迷惑不解地问。

"里面有一个应急出口，"本舅舅解释，"有一个小小的出口。埃及人在许多木乃伊棺材里造了隐蔽的门和应急出口，以便让尸体的灵魂能够离开。"

"哇塞。"我说。我不知道该说什么。

"阿麦德太专注于他那个古老而愚蠢的魔咒了，完全把这个小小的细节给忘了。"本舅舅说，又把手放到我的肩上，"走吧，你们两个跟我走。"

"可是他在外面……"我开口。

"不，"本舅舅马上接过了话头，"他走开了。我从棺材里爬出来时，找过他，但哪儿都没看到他。可能他在等焦油烧开，有事儿走开了。也可能他打算就这样把我们闷死在木乃伊棺材里。"

我感觉有一只小虫子在我腿上爬着。我拍了它一下，然后把手伸进裤腿里，把它从腿上拿开。

"我们出去吧。"本舅舅说。

我听到他呻吟着在巨大的棺材里转过身，接着又听到

125

他直起了腰。

当他推开棺材后面那道隐蔽的小门时，我看见了一片长方形的光亮。这个出口非常小，只够我们缩起身子爬出去。

我跟着本舅舅和莎莉爬出了棺材，缩起身子钻出那个出口，然后手脚着地，跳到墓室内的地面上。

过了一会儿，我的眼睛才适应室内明亮的光线。

红色的火焰仍然在沸腾的焦油坑上方跳跃着，在房间四面的墙壁上投下怪诞的蓝色影子。木乃伊们仍然像以前那样站着，一动不动地待在原位。影子在它们那没有脸的形体上颤动着。

当我的眼睛终于适应了室内的光线，我看见本舅舅的额头上有一块乌青的伤痕，一道已经干了的血痕划过他的脸颊。

"我们得在阿麦德回来之前离开这儿。"他小声说。他站在我们中间，把两只手分别放在我们俩肩上。

莎莉脸色苍白，浑身颤抖着。她的下唇都被咬得出血了。

本舅舅开始向房间中央的绳梯走去，接着又停下了。"这太费时间了。"他自言自语，"来吧，到地道里去，快。"

我们三个人开始向角落里的地道跑去。我低头一看，看见我那愚蠢的鞋带又松开了，可是这次我怎么也不会停下来系鞋带的！

因为我们就要离开这里了!

就在几分钟前,我已经完全绝望了。可是现在,我们已经爬出了木乃伊棺材,奔向自由。

就在我们离地道入口只剩下几步路时,地道里突然出现了橙色的光芒。

紧接着,阿麦德出现在地道口。他拿着一个新的火把,火光照出了他脸上吃惊的表情。

"不!"莎莉和我异口同声地大叫起来。

我们三个人都在他前面猛然停下了脚步。

"你们跑不掉的!"阿麦德缓缓地说,马上恢复了镇静,一脸的吃惊逐渐变成了一脸怒火,"你们跑不掉的!"

他把火把扔向本舅舅,本舅舅不得不向后倒下去,以躲开哧哧作响的火苗。他两肘着地,重重地摔倒在地上。只听他痛得一声大叫。

听到他的叫声,阿麦德咧嘴笑了。"你把卡拉惹恼了,"他说着,把火把举过头顶,伸手去拿插在腰上的匕首,"你们不会和这个房间里的木乃伊做伴的。"

噢!我放松地呼出了一口气。

阿麦德改变主意了,他不会把我们变成木乃伊的。

"你们三个都会死在那个焦油坑里。"他说。

莎莉和我惊慌失措地互相看了一眼。本舅舅已经站起来了,伸出胳膊抱住我们。"阿麦德,我们不能像科学家那样平静地、理性地谈谈吗?"

"到焦油坑那边去!"阿麦德下着命令,用熊熊燃烧着的火把指着我们。

"阿麦德——求你了!"本舅舅用受惊的语调哀声喊道。我从没听过他使用这样的语气。

阿麦德没有理会本舅舅绝望的哀求。他用火把指着我们的背,挥舞着长长的匕首,逼我们走到焦油坑边。

现在,焦油已经沸腾起来了,发出噼里啪啦的声音。在上空腾跃的火焰通红通红的。

我想往后退去。这味道真难闻。再说,从里面出来的蒸气都快把我的脸烫焦了。

"你们一个个地跳下去。"阿麦德说。

我们盯着沸腾的焦油看着,他就站在我们身后几步。"你们要是不跳,那我就只能把你们推下去了。"

"阿麦德……"本舅舅又开口说。可阿麦德用火把戳了戳本舅舅的后背。

"执行卡拉遗愿的光荣使命,"阿麦德庄严地说,"现在落到我身上了。"

焦油烟雾弥漫,我觉得自己快被熏得晕过去了。我感到一阵眩晕,焦油坑在我眼前倾斜起来。

我把双手插进牛仔裤袋里,想使自己站稳些。这时我的手突然摸到了一样我已经遗忘了的东西。

是那个"召唤师"。

我到哪里都随身带着的那只木乃伊之手。

我不能肯定自己为什么——我并没有想太多，如果不是什么都没想的话——可是我把那只木乃伊之手拿出来了。

我迅速转过身，高高地举起木乃伊之手。

我真的不能解释那时候我脑子里在想什么。我太害怕了，六神无主，各种千奇百怪的念头一齐向我涌来。

也许我只是想那只木乃伊之手会分散阿麦德的注意力。

或是让他对它产生兴趣。

或是为了迷惑他。

或是为了吓唬他。

也许我只是在拖延时间。

也许我只是无意识地想起了关于那只手的传说，车库甩卖的那个男孩告诉我的那个传说。

关于它为什么叫"召唤师"的传说。

想起了如何用它来唤醒古老的灵魂和精神。

又或许我根本就什么都没想。

我转过身，紧握着木乃伊之手那纤细的手腕，将它高高地举起来。

然后静静地等待着。

阿麦德盯着它看着。

可是什么也没发生。

21 "召唤师"

我把那只小手高高地举过头顶，像自由女神一般矗立在那儿，等待着。

我就那样站着，仿佛站了好几个小时。

莎莉和本舅舅一直盯着那只手。

阿麦德把火把放低了一点儿，斜眼看着木乃伊之手。接着他的眼睛睁大了，嘴巴也吃惊地张大了。

他大叫了一声。我听不懂他说了些什么。那些语言我从来没听过，也许是古埃及语吧。

他往后退了一步，脸上的惊讶迅速变成了恐惧。

"女祭司之手！"他大声喊起来。

至少我认为他是这么喊的——因为我突然被他身后所发生的一幕吸引住了。

莎莉低低地叫了一声。

我们三个都不敢相信自己的眼睛，瞪着阿麦德的身后。

靠在墙上的一个木乃伊似乎正微微侧身向前。

躺在地上的一个木乃伊，慢慢地坐了起来，发出嘎吱嘎吱的响声。

"不!"我大喊起来，手里仍高举着那只木乃伊之手。

莎莉和本舅舅目瞪口呆地瞪着这个突然活动起来的房间。木乃伊们发着嘎吱嘎吱的响声，都活过来了。

空气里充满了陈年泥土的腐朽味。

在隐隐约约的光线里，我看到一个又一个的木乃伊纷纷坐直身体，站了起来。它们将绑着亚麻布的手臂举过它们那没有脸的头顶，动作缓慢而痛苦。

木乃伊们蹒跚地、僵硬地向前挪动着。

我惊得无法动弹，盯着它们爬出棺材，从地板上爬起来，扭着身子，缓慢而沉重地向前迈步。它们发着嘎吱的响声，僵硬而干枯的身体上灰尘飘飘。

它们是死的，我心想。

所有的木乃伊都是死的，都死了这么多年了。

可是现在它们都站起来了，从它们古老的棺材里爬出来了，拖着它们那沉重的、没有生命的腿，挣扎着向我们走来。

它们渐渐聚拢了，那绑着亚麻布的脚擦着室内地面。

咔嚓，咔嚓，咔嚓。

我永远都不会忘记那在地板上拖动的脚步声。

咔嚓，咔嚓。

这支没有脸的队伍向前进发。它们伸出绑着亚麻布的胳膊，轻声呻吟着，摇摇晃晃地向我们走来。

阿麦德觉察到了我们脸上惊愕的表情，蓦地转过身去。

当他看到那些木乃伊正拖着脚步，齐刷刷地一步一步向我们逼近时，又用那种奇怪的语言大嚷大叫起来。

紧接着，阿麦德愤怒地大吼了一声，抢起火把向走在最前面的那个木乃伊掷去。

火把击中了木乃伊的胸口，摔到地板上。木乃伊的胸口着火了，火势迅速蔓延到它的胳膊和腿上。

可是木乃伊仍然向前挪动着，既没有放缓脚步，也没有对正迅速吞噬着它的大火作出反应。

阿麦德惊恐地张大了嘴巴，用那种神秘的语言含糊地说出了一大串话，然后试图逃跑。

可是已经太晚了。

燃烧着的木乃伊向他冲过去，抓住他的喉咙，把他高高地举过自己那燃烧着熊熊烈焰的双肩。

阿麦德惊恐地大叫了一声。这时，其他木乃伊也向前冲了过来。它们呻吟着、哀号着，上前去帮助它们那正在燃烧的同伴。

它们把阿麦德高高地举过头顶。

然后把他抬到烈火熊熊的焦油坑上。

它们把阿麦德抬到正在沸腾、翻滚、冒着蒸气的焦油坑上，阿麦德蹬腿挣扎着，发出一声刺耳的尖叫。

我闭上了眼睛。热气和烟雾熏得我头晕目眩。我感到自己仿佛被吞没了，被拖进弥漫着蒸气的黑暗之中。

当我睁开眼睛，我看见阿麦德摇摇晃晃地向地道跑去，一边跑一边张大嘴巴尖声叫着。木乃伊们仍然围在大坑旁边，庆祝着它们的胜利。

我发现自己仍然高举着那只木乃伊之手。随后，我慢慢地把手放下来，注视着莎莉和本舅舅。他们就站在我旁边，脸上充满了困惑和放松的表情。

"那些木乃伊……"我好不容易说出了这几个字。

"快看哪。"莎莉说道。

我顺着她的目光望去。只见那些木乃伊都回到原位了。有的靠在墙上，有的以奇怪的角度斜倚着，还有的躺在地上。

它们现在的姿势跟我刚来到这里时一模一样。

"咦?"我的眼睛飞快地在房间里扫视着。

它们刚才移动过吗? 它们有没有站起身，蹒跚着向我们走来? 难道这一切都是我们的幻觉?

不是。

这一切不可能是我们想象出来的。

阿麦德走了。我们安全了。

"我们没事了，"本舅舅感激地说，把两只手臂分别放在莎莉和我的肩上，"我们没事了，没事了!"

"现在我们可以走了!"莎莉开心地叫着，拥抱了她爸爸一下，接着又转过来看着我，"你救了我们的命。"她说道。她好不容易才挤出这句话，不过她毕竟说了。

本舅舅注视着我和我依然紧紧握在手里的那样东西。"谢谢那只救命之手。"本舅舅说。

我们回到开罗，在一家饭店里吃了一顿十分丰盛的晚餐。我们要能真正咽下什么东西那可真是奇迹，因为在吃饭的时候，我们一直在兴奋地聊天，重温我们的冒险经历，想弄清楚到底发生了什么事。

我在桌子上转动着"召唤师"。

本舅舅向我微笑着："我真不知道这只木乃伊之手有那么神奇!"

他把它拿起来，仔细观察着。"最好不要拿它玩，"他认真地说，"我们一定要小心对待它。"他摇了摇头。"看我还是个大科学家呢!"他自嘲地说，"我第一次看到它时，还以为它只是个玩具，是个复制品。可事实上也许这只手才是我最重要的发现!"

"它是我的好运符。"我小心地从本舅舅手里把它接过来。

"现在你又可以这么说了!"莎莉感激地说。这是她对我说过的最友好的话。

回到宾馆以后,我立刻就睡着了。这真令我感到意外。我还以为自己会不断地回想所发生的一切,在床上躺好几个小时都不能入睡呢。我猜自己大概是累坏了。

第二天早上,莎莉、本舅舅和我在房间里吃了一顿美味的早饭。我吃的是一盘炒蛋和一碗玉米片。我一边吃,一边玩弄那只小木乃伊之手。

我们三个都感觉好极了,很高兴那可怕的历险终于过去了。我们互相开着轻松的玩笑,开心地嬉笑着。

我吃完了玉米片,把那只小木乃伊之手高高地举起来。"哦,召唤师,"我用低沉的声音说,"我召唤古老的灵魂。都活过来吧! 再一次活过来吧!"

"停下,加比!"莎莉打断了我。她伸出手来抓木乃伊之手,我赶紧躲开了。

"这可不好玩,"她说,"你不应该这样消磨时光 。"

"你是胆小鬼吗?"我嘲笑她。看得出来,她真的害怕了,这让我更加开心了。

我举起木乃伊之手,离她远远的。"我召唤你,古老的死亡之魂，"我唱歌般地说，"到我这里来吧。现在就到我这里来！"

这时突然响起了重重的敲门声。

我们三个都倒吸了一口凉气。

本舅舅把他的果汁杯打翻了。杯子倒在桌子上，果汁都流了出来。

我举着那只小手呆立在那儿。

敲门声又响起来了。

接着我们听到有人拨弄门锁的声音。好像是那些古老的、绑着亚麻布的手指正在撬锁。

莎莉和我惊恐地互相看了一眼。

我慢慢地把那只木乃伊之手放下了，这时门被打开了。

两个黑影闯进了房间。

"爸爸！妈妈！"我大喊起来。

我敢打赌，看到我那副喜出望外的样子，他们肯定吃惊极了。

隐身魔镜

1 生日聚会

我在自己十二岁生日那天，成了隐身人。

从某种意义上说，那都是白蒂的错。白蒂是我家的狗。它是一条杂种狗，有一半猎狗血统，全身长着黑毛，所以我们叫它白蒂。

要不是白蒂在阁楼里嗅来嗅去……

好吧，也许我应该从头说起。

我生日那天是个星期六，外面淅淅沥沥地下着雨。再过一会儿，伙伴们就要来参加我的生日聚会了，我就开始准备起来。

最重要的就是梳头发。

弟弟总是对我的头发指手画脚。他认为我站在镜子前梳头发、弄头发的时间太长了，从不放过我。

事实上，他忌妒我这一头漂亮的头发。我的头发很浓密，近乎金黄色，有点儿卷。我的头发是我身上最惹眼的地方，我一定要把它弄得漂漂亮亮的。

还有，我长着一对招风耳。我一直让头发遮住耳朵。这很重要。

"马克斯，你脑后的头发乱了！"当我在前厅的镜子前拨弄头发时，弟弟"左撇儿"大声嚷着。

他的真名叫诺亚，我叫他左撇儿，因为他是家里唯一习惯用左手的人。左撇儿正向上抛着一个垒球，然后用左手接住它。他知道爸爸妈妈不允许他在房子里玩抛球游戏，可他总是违反这个规定。

左撇儿比我小两岁。这小家伙并不坏，可他精力实在太旺盛了。他总是把球抛来抛去，或是用两只手使劲敲着桌子，在房子里跑来跑去，东倒西歪的，还和我摔跤。你明白那是怎么回事吗？爸爸说左撇儿的裤子里有蚂蚁在爬。这虽然是一句废话，倒是很形象地描绘出这个小家伙。

我转过头，扭着脖子看了看后面的头发。"没有乱，你这个骗子。"我说。

"快接住！"左撇儿喊，把那个垒球向我扔过来。

我伸手去接球，却失手了。只听嘭的一声，球打在镜子下面的墙上。左撇儿和我屏住呼吸，生怕被妈妈听见了。幸好她没听见。她可能正在厨房里做生日蛋糕吧。

"笨蛋，"我小声对左撇儿说，"你差点儿把镜子打碎了。"

"你才笨呢。"他说。他就是这样。

"你干吗不学着用右手扔球？那样我就能接住了。"我对他说。我喜欢拿他是个左撇儿这件事跟他开玩笑，我知道他很讨厌这一点。

"你坏透了！"他说，捡起垒球。

我已经听惯了，这句话他一天要说上一百遍。大概他觉得这样说显得很聪明。

作为一个十岁的小孩来说，他还算不错，只不过词汇量不够丰富。

"你的耳朵露出来了。"他说。

我知道他在撒谎。我正要回答他，突然门铃响了。

我们俩同时从狭窄的走廊往前门跑去。"喂，这可是我的生日聚会！"我对他说。

可是左撇儿先跑到了门边，打开门。

我最好的朋友雅克推开纱门，急匆匆地钻进了房子。外面，雨越下越大了。只见他全身都湿透了。

他递给我一个用银色纸包着的盒子，雨水一滴滴地从上面滴下来。"里面是一包连环漫画。"他说，"我已经看过了。X-Force的连环画小说写得真不错。"

"谢谢，"我说，"还好，还不是很湿。"

左撇儿从我手上抢过礼物，跑进了客厅。"别打开它!"我喊道。他说他只想把它放起来。

雅克摘下那顶红袜帽（Red Sox，红袜，是美国波士顿一支棒球队的名称。——译者注），露出了刚理过的头发。"哇! 你看起来……很特别。"我说，打量着他。他那头黑头发左边剃得很短，右边却留得长长的，整整齐齐地向右梳着。

"你有没有请女孩子?"他问我，"不会只请了男孩吧?"

"有几个女孩会来，"我告诉他，"是爱琳和艾普尔。我表妹黛波拉可能也会来。"我知道他喜欢黛波拉。

他若有所思地点了点头。雅克长着一张严肃的脸，一双蓝色的小眼睛始终望着远处，仿佛在认真地思考着什么，显得很深沉。

他这人生性严谨。他并不是紧张，但他的神经总是紧紧地绷着。他还很好强，凡事都想得第一。如果他得了第二，他就会难过得用脚直踹家具。你能想象那是什么样子。

"我们现在做什么?"雅克甩着红袜帽上的水，问我。

我耸了耸肩。"本来我们打算到院子里玩。早上爸爸把排球网都架好了，可后来下雨了。我租了些片子，咱们看电影好了。"

门铃响了。左撇儿不知从什么地方冒了出来，一把推开雅克和我，冲到门口。"噢，是你们啊。"我听见他嚷道。

"谢谢你给我们开门。"一听到那尖尖的声音，我便知道爱琳来了。就因为她的嗓音，还有她那娇小的个子，有人给爱琳取了个外号，叫"老鼠"。她长着短短的、直直的金发，我觉得她真可爱，不过我决不会对任何人说的。

"我们可以进来吗？"接着我又听到了艾普尔的声音。艾普尔是我们一伙的另一个女孩。她长着一头黑色的卷发和一双忧伤的黑色眼睛。我总觉得她的样子好像很不开心，可后来我才明白她那只是害羞。

"生日聚会是在明天。"我听见左撇儿对她们说。

"什么？"两个女孩子一起吃惊地叫了一声。

"不是的，"我赶紧冲到门口，把左撇儿推到一边，随即推开纱门，让爱琳和艾普尔进来，"你们知道左撇儿喜欢开玩笑。"我说着，一边把弟弟挤到墙边。

"左撇儿就是一个小玩笑。"爱琳说。

"你这个笨蛋！"左撇儿对她说。我更用力地把他推向墙壁，把整个身体都靠在他身上。可他蹲下身，迅速溜走了。

"生日快乐！"艾普尔说着，甩去卷发上的水珠，递给我一个用圣诞节包装纸包着的礼物。"我只有这种纸了。"

见我盯着包装纸，她向我解释道。

"那就祝你圣诞快乐！"我向她开着玩笑。摸上去包在里面的好像是一张CD。

"我忘给你带礼物了。"爱琳说道。

"你给我买了什么礼物？"我跟着两个女孩走进客厅，问道。

"我还没买呢。"

左撇儿从我手中抢走了艾普尔给我的礼物，跑到沙发后的角落里，把它放在雅克的礼物上面。

"我们本来打算烤热狗的。"我说道。

"那今天它们会被雨淋湿的。"艾普尔回答道。

左撇儿站在沙发后面，向上抛着那只垒球，然后用一只手接住它。

"你会打碎灯的。"我警告他。

自然，他对我不理不睬。

"还有谁会来？"爱琳问道。

我还没来得及回答，门铃又响了。左撇儿和我一齐跑向前门。他被自己的鞋子绊了一下，向前扑倒在地。这是他的一贯作风。

到了两点半，十五个伙伴都到齐了，聚会开始了。其实并没有真正开始，因为我们还没决定好该做什么。我想看我租来的电影《终结者》，可是女孩们却想玩扭扭游戏（在地上放一块地毯，上面印有不同颜色的圆圈。游戏参加者需跟随指示，将手或脚放在指定的圆圈上。——译者注）。

"今天是我的生日！"我坚持着说。

最后我们达成了妥协。我们先玩了一会儿扭扭游戏，接着开始看《终结者》，一直看到晚饭时间。

这个聚会真不错。我想每个人都玩得很开心，就连艾普尔似乎也找到了乐趣。平时，在聚会上，她总是十分安静，显得很紧张。

左撇儿把可乐洒到地上，用手抓着吃巧克力生日蛋糕，大概他觉得这样很好玩。可事实上他是这群人中唯一的"野兽"。

我告诉他，他之所以受到邀请，唯一的原因就是他是家里的成员，没其他地方可去。他听了，嘴巴张得大大的，我们都能看见他嘴里那黑糊糊的巧克力。

我把礼物一一打开后，又开始放《终结者》，但他们一个个地离开了。差不多快五点了，已经很晚了，房子外面仍然下着瓢泼大雨，黑得像夜里一样。

我的父母在厨房里洗刷碗筷。最后只剩下爱琳和艾普尔了。爱琳的妈妈会来接她们，但她打电话来说要晚点儿到。

白蒂站在客厅的窗边狂吠着。我向窗外望去，没看到什么人。我伸出双手，把它抓起来，甩到地上。

"去我房间玩吧，"我终于让那只笨狗安静下来了，便提了个建议，"我有一个新的超级任天堂游戏，我们去试试看。"

楼上的走廊里黑糊糊的。我按了一下电灯开关，但灯没亮。"一定是灯泡坏了。"我说。

我的房间在走廊的尽头。我们在黑暗中慢慢地往前摸索着。

"这里真有点儿恐怖。"艾普尔轻轻地说。

她话音刚落，走廊里的壁橱门突然打开了。随着一声震耳欲聋的吼叫，一个黑影迎面扑来。

2 发现一道暗门

女孩们惊恐地尖叫起来，那个吼叫着的影子抓住我的腰，把我摔到地板上。

"左撇儿——放开我！"我生气地喊着，"这一点儿都不好玩！"

他像个疯子般哈哈笑着，觉得自己很酷。"吓到你们了！"他大声喊着，"我吓到你们了！"

"我们没被吓到，"爱琳坚持说道，"我们知道是你。"

"那你为什么尖叫？"左撇儿问。

爱琳回答不上来了。

我把他从身上推开，站了起来。"你这样做真笨，左撇儿。"

"你躲在壁橱里等了多久？"艾普尔问。

"很长时间。"左撇儿回答她。他正想站起来，白蒂忽

147

然跑到他身边，发疯似的舔他的脸。它舔得太起劲了，左撇儿笑着仰面倒在地上。

"你把白蒂也吓到了。"我说。

"不，没有。白蒂比你们聪明。"左撇儿把白蒂推开了。

白蒂开始在门边嗅起来。

"那道门通到哪儿，马克斯？"爱琳问。

"阁楼。"我告诉她。

"你家有阁楼？"爱琳就像听到了什么重大新闻似的，大惊小怪地叫了起来，"上面有什么东西？我喜欢阁楼！"

"什么？"我在黑暗中斜眼看着她。我真搞不懂这些女孩子，她们怎么会喜欢阁楼呢？

"就是我爷爷奶奶留下来的一些旧东西，"我告诉她，"这个房子以前是他们的。我爸爸妈妈在阁楼里放了好多他们的东西。我们几乎从来没上去过。"

"我们能上去看看吗？"爱琳问。

"我想，"我说，"那里面没什么好玩的。"

"我喜欢老东西。"爱琳说。

"可里面太黑了……"艾普尔轻声地说。我想她有点儿害怕了。

我打开门，按了灯的开关。阁楼里天花板上的灯亮起来了，射出浅黄色的光。我们抬头望着陡峭的木头楼梯。

　　"看见了吗？上面有灯。"我告诉艾普尔。我开始往楼梯上爬去，木楼梯在我脚下嘎吱嘎吱地响着。我的影子被灯光拖得长长的。"你们上来吗？"

　　"爱琳的妈妈随时都会来的。"艾普尔说。

　　"我们就上去待一会儿，"爱琳说，轻轻地推了艾普尔一下，"走吧。"

　　我们往上爬的时候，白蒂快步从我们身边经过。它兴奋地摇着尾巴，脚指头在木头台阶上咔嗒咔嗒地响着。爬到一半时，空气变得又干又热。

　　我站在最高一级台阶上，向四周看了看。阁楼向两边延伸开去，形成一个长条形的房间，里面放满了旧家具、厚纸板箱子、旧衣服、钓鱼竿和一堆堆发黄的杂志——各种各样的杂物。

　　"哎哟，一股霉味。"爱琳说，她从我身边走过去，在阁楼里走了几步，深深地吸了口气，"我喜欢这种味道！"

　　"你这人可真怪！"我对她说。

　　大雨鼓点般打在屋顶上。哗啦啦的声音在低低的房间里回响着，我们仿佛置身于一道瀑布里。

　　我们四个在阁楼里一边走，一边探索着里面的东西。左撇儿不断地把垒球抛到天花板椽子上，接着又把它接住。我注意到艾普尔紧紧地贴着爱琳。白蒂正沿着墙壁使劲儿嗅着。

"这里大概有老鼠吧?"左撇儿问,咧嘴坏笑着。我看到艾普尔的眼睛睁圆了。"又大又肥的老鼠,喜欢爬到女孩子的腿上去。"左撇儿开着玩笑。

我的小弟弟很有幽默感。

"我们走吧?"艾普尔不耐烦地说着,转身向楼梯口走去。

"快看这些旧杂志,"爱琳没有理她,忽然叫起来,她捡起一本杂志,迅速地翻着,"看这里,这些模特穿的衣服可真逗!"

"咦——白蒂在干吗?"左撇儿突然问。

我顺着他的视线,向前方望去,只见白蒂的尾巴正在一堆高高的纸箱后面摆动,还能听见它正使劲抓着什么。

"白蒂——快过来!"我大声叫它。

它非但没理我,反而抓得更起劲了。

"白蒂,你在抓什么?"

"也许在抓一只老鼠吧!"左撇儿提醒我。

"我走了!"艾普尔喊。

"白蒂?"我叫着,绕过一张旧餐桌,在乱七八糟的阁楼里走了过去。我很快看到它是在抓地板。

"喂,快看哪,"我喊着其他人,"白蒂找到了一扇暗门!"

"妙极了!"爱琳喊,跑了过来。左撇儿和艾普尔跟在她后面。

　　"我不知道这里有暗门。"我说。

　　"我们一定要把它搞清楚，"爱琳怂恿地说，"我们去看看那边有什么。"

　　于是，麻烦就此开始了。

　　现在你明白我为什么说都是白蒂的错了，不是吗？如果不是那只愚蠢的狗到处嗅来嗅去，在那里抓着地板，我们也许永远也不会发现阁楼里的那间暗室。

　　也就永远不会发现隐藏在那扇木门后面的那个惊人的——也是吓人的——秘密。

3 暗室里的镜子

"白蒂!"我蹲下来,把狗从门上抱开,"你怎么了,小狗狗?"

我把它一抱开,白蒂就对那扇门完全失去了兴趣。它跑到一边,开始在另一个角落里嗅起来。这下说到注意力持续的长短了,不过我想这是狗和人之间的区别。

大雨继续往下倾倒着,在我们头上发出巨大的轰鸣。我能听见风呼呼地吹过房子的一角。确实,只有春天才有这样的暴风雨。

门上挂着一把生了锈的锁。它很快就滑落下来,我甚至都没拉一下,歪歪扭扭的木头门就摇摇晃晃地开了。

我把门拉开,门链吱吱地响着,只见里面一片黑暗。

门还没开到一半,左撇儿就从我手臂下钻了过去,一个箭步冲进了黑糊糊的房间。

"有一具尸体!"只听他一声大叫。

"不要啊!"艾普尔和爱琳惊恐地尖叫起来。

但我知道左撇儿是有幽默感的。"真能蒙人,左撇儿。"我说道,跟着他走进了房间。

他当然是在信口开河。

里面是一个小小的房间,没有窗。屋里唯一的亮光是从阁楼中间天花板上照进来的一缕淡黄色灯光。

"把门全部打开,这样灯光就能照进来了,"我对爱琳说,"现在我啥也看不见。"

爱琳推开门,又搬了个纸板箱放在门口,这样门就不会关上了。接着她和艾普尔也悄悄地走了进来。

"这里真大,不像壁橱,"爱琳说,声音比平时更尖细了,"这到底是什么呢?"

"就是个房间吧,我想。"我说,我的眼睛还不能适应屋内昏暗的光线。

我又往房里走了一步。这时,我突然看见一个黑影向我走近了一步。

我尖叫一声,赶紧跳着往回退了一步。

可是那个黑影也跳回去了。

"那是一面镜子,笨蛋!"左撇儿说,开始笑起来。

紧接着,我们四个人都笑开了,紧张而大声地笑。

我们前面确实有一面镜子。现在,在投射进这个小四

153

方形房间的淡黄色灯光里，我清楚地看见了。

这是一面矩形的大镜子，比我高约两英尺，镜框是用黑色的木头做的，镜子安放在一个木头底座上。

我走近了些，镜子里的自己也向前移动来欢迎我。使我感到惊讶的是，我在镜子里的影子显得很清晰。尽管这里多年来都没人来过了，镜面却一尘不染。

我站到镜子前面，打量着自己的头发。

我觉得，镜子就是用来照的，不是吗？

"谁会把一面镜子单独放在房间里呢？"爱琳问。我能看到她在镜子里黑色的影子，就在我身后几步。

"也许这面镜子很值钱呢，"我说，把手伸到牛仔裤口袋里去掏梳子，"你知道，比方说，它是古董。"

"是你爸爸妈妈把它放在这儿的吗？"爱琳问。

"我不知道，"我回答，"也许它是我爷爷奶奶的。反正我不知道。"我用梳子梳了几下头发。

"我们走吧？这没什么好玩的。"艾普尔说。她还在门口徘徊着。

"也许这是狂欢节时用的，"左撇儿说着，把我推开，脸紧贴着镜子，做起鬼脸来，"你知道，就是那种家里用的哈哈镜，能把你的身体照得像一只鸡蛋。"

"你已经像只鸡蛋了，"我开着玩笑，推开他，"至少你的头就像。"

154

"你是一只臭鸡蛋。"他反击我，"你臭死了。"

我向镜子里看去。我看起来完全正常，一点儿都没有变形。"喂，艾普尔，进来吧，"我怂恿她，"你把光线都挡住了。"

"我们还不走吗?"她不满地嘀咕着，犹犹豫豫地从门口往屋里挪了几小步，"再说，谁还在乎一面旧镜子呢?"

"喂，看哪!"我说。我发现了安在镜子顶端的一盏灯，一盏椭圆形的、用黄铜或其他金属制成的灯。灯泡又窄又长，就像荧光灯的灯泡，只是比它稍微短一些。

我在昏暗的光线里使劲瞪着它，想把它看个明白。"怎么打开灯呢?"

"这里有一根链子。"爱琳走到我身边，说了一句。

果真，灯的右边垂下一根细细的链子，就挂在离镜子顶端一英尺的地方。

"我们试试看行不行。"我说。

"灯泡可能已经坏了。"左撇儿说。真是我的好左撇儿，凡事都很"乐观"啊。

"只有用一种办法才能知道是不是这样。"我说着，踮起脚，伸长胳膊去拉那根链子。

"小心。"艾普尔提醒我。

"哦? 这只是一盏灯。"我回答。

这好像是我说的最后一句话。

155

我试了一遍，没够着。又试了一遍。这一次，我抓住链子，拉了一下。

　　只见强光一闪，那盏灯出人意料地亮了起来，随即暗了下去，亮度跟一般的灯没什么两样。明亮的白光反射到镜子上。

　　"嘿——这样好多了！"我喊，"整个房间都照亮了。雪亮雪亮的，是吗？"

　　没有人说话。

　　"我说，现在亮得很，是吗？"

　　我的伙伴们还是没吭声。

　　我转过身，吃惊地发现那三张脸上显出了恐惧的表情。

　　"马克斯？"左撇儿叫起来，一双眼睛瞪得大大的，仿佛眼珠子都快掉出来了。

　　"马克斯——你在哪儿？"爱琳叫着，她转身对着艾普尔说，"他会去哪儿呢？"

　　"我就在这里，"我对他们说，"我根本没动啊。"

　　"可是我们看不到你！"艾普尔大声喊着。

4 我隐身了吗？

他们三个都向我的方向瞪着眼睛，眼珠子向外鼓着，脸上依然是一副恐惧的表情。不过我觉得他们是在跟我开玩笑。

"别闹，伙计们，"我说，"我可没看上去那么笨。我不会上你们的当。"

"可是，马克斯……"左撇儿继续说，"我们是认真的!"

"我们看不到你!"爱琳重复了一遍。

真是笨，笨，笨!

突然，灯光开始刺痛我的眼睛。光线似乎变得更亮了，直接射在我的脸上。

我用一只手遮着眼睛，伸出另一只手拉了一下链子。

灯灭了，那白色的亮光却依旧在我眼前晃动。我闭上

157

眼睛，想赶走它；睁开眼，眼前依然是点点亮光。

"喂——你回来了!"左撇儿大声地喊着。他走上来，抓住我的胳膊，用力捏了一下，似乎在试试是不是真的是我。

"你怎么了?"我对他嚷着，感到有点儿生气，"我没有上你的当，左撇儿。你干吗这么做?"

"我们没有开玩笑，马克斯，"爱琳小声地说，"刚才我们真的看不见你了。"

"肯定是因为镜子反光的缘故。"艾普尔倚在门口的墙上，"刚才光线太亮了。我觉得那只是视觉错误之类的。"

"那不是视觉错误，"爱琳对她说，"当时我就站在马克斯旁边，可我看不见他。"

"他隐身了。"左撇儿严肃地说。

我笑了。"你们是想吓唬我，"我说，"像真的一样!"

"是你把我们吓着了!"左撇儿喊。他放开我的手臂，走到镜子前面。

我顺着他的视线看去。"我就在那儿。"我指着自己在镜子里的影子说。我看到自己脑后的一缕头发竖起来了，便小心翼翼地把它弄平了。

"我们离开这儿吧。"艾普尔恳求。

左撇儿开始玩抛球游戏，一边看着镜子里的自己。

158

爱琳走到镜子后面。"这里太暗了，我什么也看不见。"她说。

她走回镜子前面，抬头望着上头那盏椭圆形的灯。"刚才你一拉那根链子，就消失不见了。"

"你可真严肃啊！"我说。我开始相信他们不是在开玩笑了。

"刚才你真的隐身了，马克斯，"爱琳说，"忽地一下，你就消失了。"

"她说得对。"左撇儿说，一边抛接着垒球，一边欣赏着镜子里的自己。

"那只是视觉错误，"艾普尔坚持己见，"你们干吗要把它说得那么严重呢？"

"可那不是视觉错误！"爱琳也坚持自己的意见。

"他打开了灯，灯一亮，他就消失了。"左撇儿说。他一下子没接住垒球，球在硬木地板上弹着，滚到镜子后面去了。

他犹豫了几秒钟，接着便追了过去，在黑暗中摸着垒球。几秒钟后，他跑回来了。

"你刚才真的隐身了，马克斯。"他说。

"是真的。"爱琳加了一句，使劲盯着我。

"有什么证明吗？"我对他们说。

"我们走吧！"艾普尔又恳求。她已经走到门口，一半身子在屋里，一半在屋外。

"你说证明是什么意思？"爱琳对着镜子里我的影子问。

"让我看看啊。"我说。

"你是说像你刚才那么做？"爱琳转身问我。

"是啊，"我说，"你也隐身试试，就像刚才我做的那样。"

爱琳和左撇儿盯着我。左撇儿的嘴巴张大了。

"这可真蠢。"艾普尔在后面叫着。

"让我来。"左撇儿说，站到镜子前面。

我把他拉了回来。"你不行，"我说，"你太小了。"

他想挣脱我，却被我紧紧地拽住了。"你怎么样，爱琳？"我用两只胳膊抱住了左撇儿的腰，不让他走到镜子前。

她耸了耸肩。"好吧，让我来试试。"

左撇儿停止了挣扎。我稍微放松了些。

我们看着爱琳站在镜子前面。她那黑糊糊的影子从镜子里回望着她。

她踮起脚，伸出手臂，抓住了那根链子。她瞟了我一眼，微笑了一下。"我拉了。"她说。

5 星期三晚上

链子从爱琳的手中滑落了。

她伸出手臂，再一次把它抓在手中。

她正要拉链子，突然从楼下传来一个女人的声音："爱琳！你在上面吗？艾普尔？"

我听出来了，爱琳的妈妈来了。

"是的，我们在上面。"爱琳喊，手松开了链子。

"快下来，已经很晚了！"她妈妈大声喊着，"你们在阁楼里干什么？"

"没干什么。"爱琳答应着。她回过头看着我，耸了耸肩。

"太好了，我要离开这儿了！"艾普尔欢呼着，一边跑到楼梯口。

我们都跟在她后面，沿着木头楼梯嘎吱嘎吱往下爬。

"你们在上面干什么?"当我们来到客厅里,我妈妈问,"阁楼里都是灰尘,真奇怪你们居然没把自己弄脏。"

"我们只是随便转转。"我对她说。

"我们在玩一面旧镜子。"左撇儿说,"那面镜子真干净。"

"一面旧镜子?"爱琳的妈妈用疑惑的目光飞快地瞟了我妈妈一眼。

"再见。"爱琳说着,拉着她妈妈向门边走去,"聚会真不错,马克斯。"

"是的,谢谢你。"艾普尔也说。

她们从前门走出去了。外面的大雨终于止住了。我站在纱门口,望着她们小心地绕过人行道上的积水坑,向汽车走去。

我回到客厅时,左撇儿正把垒球抛到天花板上,试图在背后把它接住。他没成功。垒球从地板上弹到茶几上,把上面的一瓶郁金香撞翻了。

只听哗啦一声。

花瓶被打碎了。郁金香四处飞散开去,瓶子里的水都淌到了地毯上。

妈妈摊开双手,仰面向天默默地说了句什么。每当她对一件事情忍无可忍时,她总是这样做。

然后她开始教训左撇儿,大声呵斥起来:"我警告过你多少遍了，不要在家里抛那个球！"她喋喋不休地骂了好一会儿。

左撇儿躲在角落里，身体越缩越小。他不断说着对不起，可妈妈嚷得太大声了，我想她根本就没听见。

我敢打赌，左撇儿那会儿真想使自己隐身不见。

可惜他不得不忍受对他的惩罚。

然后我帮着他清理了房间。

几分钟后，我看到他又在客厅里玩抛球游戏了。

左撇儿就是这样。他从来不会吸取教训。

在接下来的几天里，我没有去想那面镜子。我忙于学校的学习和其他一些事情，比如春季音乐会的排练。我参加了合唱团，得去参加每一次排练。

我经常在学校看见爱琳和艾普尔。不过她们俩谁都没提那面镜子。我想也许她们也已经忘了那件事，或者我们都只是故意不去想它。

这有点儿吓人，如果你静下来仔细想一想的话。

我是说，如果你相信她们所说的那件事情是真的话。

于是，星期三晚上，我失眠了。我躺在床上，眼睛盯着天花板，望着上面晃动着的影子。

我试着数数字。我把眼睛闭得紧紧的，从一千开始倒数。

可不知为何，我的神经绷得很紧，一点儿睡意都没有。

突然我发现自己在想着阁楼上的那面镜子。

它在上面怎么样了呢？我问自己。它为什么被关在那间暗室里，门还小心地锁着呢？

它是谁的？是我爷爷奶奶的吗？如果是的话，他们为什么把它藏在那个小房间里？

可能爸爸妈妈也不知道那里有这样一面镜子。

我开始回忆上星期六我的生日聚会以后发生的事情。我回想起自己站在镜子前面，梳着头发，然后伸手去够链子，拉链子。灯打开了，亮光一闪。然后……

当灯打开时，我看见镜子里自己的影子了吗？

我想不起来了。

我看见镜子里的自己了吗？看见自己的手和脚了吗？

我想不起来了。

"那是个玩笑。"我躺在床上，大声说道，把被子踢了下去。

那肯定是个玩笑。

左撇儿总是跟我开这样的玩笑，想让我难堪。我的弟弟是个开玩笑的高手。他总是开玩笑，从来没认真过，从来没有。

那我怎么会觉得他这次是认真的呢？

是因为爱琳和艾普尔都赞同他的话吗？

不知不觉地，我从床上爬了起来。我对自己说，只有一种办法能证明他们是不是在对我开玩笑。我在黑暗中摸索找到拖鞋，再扣上睡衣的纽扣。刚才我一直辗转反侧，纽扣都散开了。

然后，我蹑手蹑脚地溜出房间，来到走廊上。

房子里黑糊糊的，只有左撇儿房间外面的地板上洒下一道微弱的光。家里，只有左撇儿会半夜起来上厕所。不管我怎么取笑他，他都坚持要在房间里和门厅里各开一盏夜灯。

这会儿，当我踮着脚尖走向阁楼楼梯时，却很感激这道光。尽管我已经十分小心了，可我脚下的地板还是吱吱响着。要想使这座老房子不发出一点儿响动，简直是不可能的。

我停了下来，屏住呼吸，支起耳朵，聆听着是否有什么动静。

周围一片沉寂。

我深吸了一口气，打开了阁楼的门，四处摸索着，终于找到了灯的开关，把它打开了。接着我慢慢地爬上陡峭的楼梯，把整个身子都倚在栏杆上，尽量不使楼梯发出声响。

这段楼梯长得似乎怎么也爬不完。终于，我在楼梯顶端停了下来，往四周望了望，试图使自己的眼睛适应那昏黄的灯光。

阁楼里又闷又热，空气十分干燥，我的鼻子都快冒烟了。我突然有种掉头往回跑的冲动。

但紧接着我的眼睛停在那扇通向那间小暗室的门上。那天我们匆匆忙忙地离开，忘记把门关上了。

盯着那道门内的那片黑暗，我走到阁楼里，飞快地走过那道破烂的门。地板在我脚下吱吱嘎嘎地响着，可我似乎听不到声音。

就像被强有力的磁铁吸住了一样，我向着那道敞开着的门、向着那个神秘的房间走去。

我必须得再看看那面高高的镜子，必须近距离地研究一下它。

我必须知道事情的真相。

我毫不犹豫地走进小房间，径直向那面镜子走去。

我停了下来，仔细打量着自己在镜子里的影子。我的头发全乱了，可我不在乎。

我盯着自己，盯着自己的眼睛。然后我往后退了一步，想换个角度看看。

镜子把我从头到脚都照出来了。我在镜子里的影子没什么特别的，不是歪歪扭扭的，样子很正常。

看到这面镜子跟一般的镜子没什么两样，我渐渐镇定下来。我还没发现，原来自己的心怦怦直跳，就像一只蝴蝶紧张地扑打着翅膀，双手双脚都冰凉冰凉的。

"冷静下来，马克斯。"我小声地自言自语，看着镜子里的自己。

我在镜子前面动了一会儿，双手放在头顶上挥舞着，还摇摆了几下身体。

"这面镜子没什么特别的。"我大声说着。

我伸出手，摸了摸镜子。尽管房间里很热，玻璃却冷冰冰的。我用手摸着玻璃，一直摸到了镜框，又在镜框上上上下下地摸着。上面既光滑又凉快。

这只是一面镜子，我心想，终于放松多了。这只是一面旧镜子，很久以前有人放在这儿的，然后他们忘记了它。

我把手放在镜框上，走到镜子后面。这里太黑了，什么都看不见，不过看来没什么好玩的东西。

我最好还是把上面的灯打开吧，我心想。

我回到镜子前面，站在镜子前几英寸处，开始伸手去拉那根链子。这时，我突然看到了什么。

"啊！"

我看见镜子里有两只眼睛，正往外紧紧地盯着我。

6 左撇儿跟来了

我连气都喘不过来了，往下看着那黑色的影子。

看着那两只紧盯着我的眼睛，黑暗而邪恶的眼睛。

我惊恐地叫了一声，转过身去。

"左撇儿！"我喊。我的声音既尖锐又紧张，仿佛被人掐住了喉咙。

他站在门口，冲我咧嘴一笑。

我才明白，原来从镜子里盯着我的是左撇儿的眼睛。

我跑过去，抓住他的肩膀。"你吓死我了！"我半是尖叫，半是耳语。

他笑得更开心了。"你真笨。"他说。

我真想勒住他的脖子。他以为这很好玩呢。

"你干吗偷偷地跟在我后面？"我质问，把他往墙上推了一下。

他耸了耸肩。

"你说，你究竟在这里干什么？"我有些语无伦次地问。

我还能看见那双黑色的眼睛从镜子里盯着我。真令人毛骨悚然！

"我听见你的声音了，"他解释，往后靠在墙上，仍然咧嘴笑着，"我没睡着。我听到你从我房间外面走过，所以就跟来了。"

"哦，你不应该在这里。"我不满地说。

"那你也不该。"他反唇相讥。

"回去，下楼睡觉去。"我说。我的声音终于恢复正常了，试图以正儿八经的口气跟他说话。

可是左撇儿没动。"好啊。"他说。他总是狡辩。

"我是说认真的，"我继续说，"回到床上去。"

"好啊，"他顽皮地重复着，"那我就告诉爸爸妈妈你在这里。"他又说了一句。

我讨厌被人威胁。他知道这一点，所以他每天每隔一小时就威胁我一次。

有时候我真恨不得揍他一顿。

可我家是反对暴力的。

每当左撇儿和我快要打起来时，爸爸妈妈就说："快停下，你们俩！咱们家可是无暴力家庭。"

有时候无暴力真让人无可奈何。你懂我的意思吧？

眼前这种情况也是如此。我明白了，左撇儿不是那么容易打发的。他下定决心要和我一起待在阁楼里，看我准备拿镜子做什么。

我的心跳终于恢复正常，终于镇定下来了。所以我不打算跟他打架了，就让他待着吧。我转过身面对镜子。

还好，镜子里再没出现第二双眼睛紧盯着我！

"你在干什么？"左撇儿问。他在我身后走近了些，两只胳膊交叉着放在胸前。

"就是检查一下镜子。"我对他说。

"你又要隐身了吗？"他问。他就站在我身后，他呼出的气酸酸的，像柠檬的味道。

我转过去，把他往后推了几步。"离我远点儿，"我说，"你的嘴巴臭死了。"

自然，那又在我们之间引起了一场争论。

我很后悔自己来到这里，我应该待在床上。

最后，我说服他站在离我一英尺之外。我赢了。

我打着哈欠，重新转身面对镜子。我开始觉得困了。这或许是由于阁楼里的热度吧，或许是我跟我那愚笨的弟弟吵架吵烦了，又或许是真的已经太晚了，我困乏了。

"我要打开灯。"我告诉他，伸手去拉那条链子，"告诉我，我是不是又隐身了。"

170

"不行。"他又站到了我身后，"我也要试一下。"

"没门儿。"我把他推回去。

"有门儿。"他重重地推着我。

我则推着他。随后我想出了一个办法。"要不我们俩都站在镜子前面，由我来拉灯链?"

"好吧，来吧。"左撇儿笔直地站在镜子前一英寸处，几乎与他在镜子里的影子贴在一起。

他的样子看上去真可笑，尤其是他还穿着那套难看的绿色睡衣。

我站到他身边。"什么都不会发生的。"我说。

我把手伸出去，抓住灯链，拉了一下。

7 一起隐身了

镜子顶端的灯亮了。

"哇塞!"我大喊了一声。灯太亮了,刺得我几乎睁不开眼睛。

接着灯光很快暗了下去,我的眼睛才适应了它的光亮。

我转身去看左撇儿,说了些话。我不记得自己当时说了什么了。我只记得当我发现左撇儿不见了的时候,那些话从我嘴里脱口而出。

"左……左撇儿?"我结结巴巴地叫。

"我就在这儿。"他回答。听起来他就在我旁边,可我却看不见他! "马克斯……你又在哪儿?"

"你看不见我吗?"我问。

"看不见,"左撇儿说,"我看不见你。"

172

　　我能闻到他那酸酸的口臭，我知道他的确就在这里。可真的看不见他了，消失了。

　　那么他们并没有骗我！上星期六我生日聚会之后爱琳、艾普尔和左撇儿对我说的都是真的。我真的隐身了。

　　现在我又隐身了，和我弟弟一起隐身了。

　　"喂，马克斯，"左撇儿的声音细细的，颤颤的，"感觉有点儿怪。"

　　"是的，是很怪，好吧，"我同意了他的看法，"你真的看不见我，是吧?"

　　"是的，我也看不见自己。"他说。

　　那面镜子。我忘记检查那面镜子了。

　　我能在镜子里看见自己吗?

　　我转身盯着镜子。灯光从镜框顶端倾泻下来，照得镜子一片明亮。

　　我斜眼瞪着那片光亮，只见里面……什么都没有。

　　里面没有我的影子。

　　也没有左撇儿的。

　　里面只有我们后面那堵墙和那道门的影子。那道门敞开着，通向阁楼的其余部分。

　　"我们……我们在镜子里没有影子。"我说。

　　"这可真不同一般。"左撇儿说。他抓住了我的胳膊，我惊得跳了起来。

"哎呀!"我叫了起来。

被一个隐身的人抓着手臂,那真叫人毛骨悚然。

我也抓住了他的胳膊。我抓他痒痒,他开始笑起来。

"我们的身体还在。"我说,"我们只是看不见它们了。"

他想来抓我痒痒,我躲开了。

"喂,马克斯,你去哪儿了?"他叫,似乎又被吓坏了。

"来抓我呀。"我跟他开着玩笑,向墙边退去。

"我……我不行,"他颤抖着声音说,"回到这儿来,好吗?"

"没门儿,"我说,"我不想被你抓痒痒。"

"我不会抓你的。"左撇儿发着誓,"我答应你。"

我向前跨到镜子前。

"你在这儿吗?"左撇儿小心地问。

"是的。我就在你旁边,我能闻到你的臭口气。"我告诉他。

他却又开始抓我痒痒了。这个小骗子。

我们扭打了一会儿。跟一个你看不见的人扭打,那感觉真是怪怪的。

我终于推开了他。"不知道我们下楼去的话,还能不能隐身。"我说,"也不知道离开这所房子的话,我们还能不能隐身。"

"去跟踪监视别人吗?"左撇儿建议。

"是的。"我说,打了个哈欠,我开始有一种古怪的感觉,"我们可以去监视女孩子。"

"酷极了!"左撇儿回答。

"你记得爸爸妈妈一直在电视上看的那部电影吗?"我问道,"里面的鬼不断地消失又出现,那些鬼靠吓坏人们来取乐。你知道的,跟他们开玩笑,使他们发狂。"

"可我们不是鬼啊。"左撇儿颤抖着回答。我想可能这个主意把他吓坏了。

把我也吓坏了。

"现在让我们回去好吗?"左撇儿问,"我感觉不太对。"

"我也觉得不太对,"我对他说。我感觉自己的身体十分轻盈,有一种振翅飞翔的感觉。两个字——古怪。

"我们怎么回去?"他问。

"哦,上次我只是又拉了一下灯链。我把灯关了,就又回来了。就这么简单。"

"那你现在就拉吧。"左撇儿急切地催促着,"就现在,好吗?"

"好的。"我开始感觉有些眩晕,有些轻飘飘的,仿佛能够飘起来。

"快点儿!"左撇儿着急地说着。我能听到他急促的呼吸声。

　　我伸出手去，抓住了灯链。"没问题，"我对他说，"我们马上就回去。"

　　我拉了一下灯链。

　　灯灭了。

　　但是这次左撇儿和我并没有回去。

8 给雅克表演魔术

"马克斯……我看不见你!"左撇儿小声地嘀咕。

"我知道。"我静静地回答,我害怕极了,后脊梁直发寒,"我也看不见你。"

"到底是怎么回事?"左撇儿喊起来。我感到他在扯着我的胳膊。

"我……我不知道。"我吞吞吐吐地说,"上次行的。我把灯关了,就回去了。"

我盯着镜子里面。没有影子,什么也没有。

没有我,也没有左撇儿。

我一动不动地站着,瞪眼看着应该出现我们影子的镜面。我很高兴左撇儿看不见我,因为我可不想让他看到我那副吓坏了的模样。

"再试一次,马克斯。"他又嘀咕起来,"快点儿!"

"好吧，"我说，"你冷静点儿，好吗?"

"冷静? 怎么冷静啊?"左撇儿哭着说，"要是我们永远回不去了怎么办? 要是没有人能再看见我们了呢?"

我突然感到一阵恶心，一阵反胃。

坚持住，我告诉自己。你一定要撑住，马克斯。看在左撇儿的分儿上。

我伸手去抓灯链，可没抓到。

我又试了一次，又没抓到。

可紧接着，我回来了。左撇儿也回来了。

我们能互相看见了，也能看见自己在镜子里的影子了。

"我们回来了!"我们俩异口同声地欢呼起来。

接着我们都倒在地板上，大笑着。我们感到十分放松，也兴奋极了。

"嘘!"我抓住左撇儿，用一只手掩住他的嘴巴。我突然想起来现在已经是半夜了。"要是爸爸妈妈在这儿逮到我们，他们会杀了我们的!"我低声警告他。

"为什么过了这么长时间我们才回来?"左撇儿问。他变得严肃起来了，盯着镜子里的自己。

我耸耸肩。"我不知道。"我想了想，"也许如果你隐身的时间久一些，你回来所需要的时间也久一些。"我猜着。

"什么？这是什么意思？"

"我第一次隐身时，"我告诉他，"只有几秒钟时间。我一把灯关上，就回来了。可今天晚上……"

"我们隐身的时间稍微久了些，所以我们回来的时间也久了些。我明白了。"左撇儿说。

"你不像看上去那么笨嘛！"我打着哈欠回答。

"你才笨呢！"

我感到筋疲力尽，走出那个小房间，示意左撇儿跟着我出来。可他犹豫着，回头看着镜子里的自己。

"我们必须告诉爸爸妈妈这面镜子的事情。"他小心翼翼地说。

"不行！"我对他说，"我们不能告诉他们。如果我们告诉他们了，他们会拿走它，不会再让我们玩了。"

他若有所思地盯着我。"我不清楚我是不是还想玩。"他轻轻地说。

"哦，我想。"我站在门口转过头看了看镜子，"我只想再玩一次。"

"干什么？"左撇儿问，打着哈欠。

"去吓吓雅克。"我咧嘴笑了。

直到星期六，雅克才到我家来。他一来，我就想把他带到阁楼里，向他展示那面镜子的魔力。

其实我主要是想把他吓得魂飞魄散！

可是妈妈一定要让我们先坐下来吃午饭。午饭是罐装的鸡肉面汤和花生果酱三明治。

我狼吞虎咽地吞下面汤，甚至顾不上咀嚼面条。左撇儿在桌子对面不断意味深长地向我看过来。看得出来，他跟我一样急着想吓唬雅克。

"你的头发是在哪儿理的?"妈妈走到桌子边，盯着雅克的脑袋，皱着眉头问。看得出来，她不喜欢他的发型。

"在'剪得快'理发店。"雅克咽下一口花生果酱三明治，"就是商场里的那家。"

我们都盯着雅克的发型。我觉得挺酷的。左边剪得那么短，右边却留得长长的。

"很特别，的确。"我妈妈说。

我们都清楚她讨厌这个发型。她以为用"特别"这个词就能掩饰她的厌恶了。要是我理了那样一个发型回家，她会宰了我的！

"你妈妈怎么说?"她问雅克。

雅克笑了："她没说什么。"

我们都笑了。我不断地看着钟，我实在等不及想上楼去了。

"来点儿巧克力蛋糕怎么样?"等我们吃完三明治，妈妈问。

　　雅克正要说好，我赶紧打断了他："我们过会儿再吃甜点好吗？我饱了。"

　　我推开椅子，很快地站起来，示意雅克跟我走。左撇儿已经向楼梯跑去了。

　　"喂——你们这是上哪儿去？"妈妈在我们后面叫着，跟着我们进了门厅。

　　"呃……去楼上……到阁楼里去。"我告诉她。

　　"阁楼？"她疑惑地皱着眉，"上面有什么好玩的吗？"

　　"呃……里面有一堆旧杂志。"我撒了个谎，"杂志很有意思，我要给雅克看看。"我觉得当时自己反应真快，平时我可不是这么擅长编故事的。

　　妈妈盯着我。我想她可能并不相信我的话，可她转身向厨房走去了。"玩得开心点儿，孩子们！不过别把衣服弄脏了。"

　　"我们不会的。"我告诉她。我带着雅克上了陡峭的楼梯。左撇儿已经在阁楼里等着我们了。

　　阁楼里比楼下热一百度。我一踏进去，就开始冒汗。

　　雅克在我身后几步停了下来，看了看四周。"这里只有一些旧杂物。有什么好玩的？"他问。

　　"你会明白的。"我神秘地回答。

　　"这边走。"左撇儿热切地叫着，向对面墙边的小房间跑去。他太激动了，他的垒球掉到地上了。球在他前面滚着，他不小心被绊了一下，砰的一声摔倒在地板上。

"我是故意摔倒的。"左撇儿一边调侃，一边站起来，追着球往前跑去。

"你弟弟大概是用橡皮做的。"雅克笑着说。

"他喜欢摔跤。"我说，"他每天要摔一百次。"我并没有夸张。

几秒钟后，我们三人来到暗室，站在那面镜子前。虽然外面阳光灿烂，可房间里仍然像以前一样阴暗。

雅克转身面对着我，一脸疑惑："这就是你们要给我看的东西？"

"是呀。"我点点头。

"你什么时候开始对家具感兴趣了？"他问。

"这面镜子挺有意思的，你不觉得吗？"我问。

"不，"他说，"我觉得没什么意思。"

左撇儿笑了。他把球抛到墙上，又把它接住。

我故意在拖延时间。雅克马上要受到他这辈子最大的惊吓了，可我想先耍他一会儿。他就是那样对我的。他总显得好像他知道所有的事，要是我表现得好的话，他就会告诉我一丁点儿他所知道的事情。

而现在，是我知道他所不知道的事情。我想使这一时刻更持久一些。

可在那个时候，我等不及想看当我在雅克眼前消失的时候他脸上的表情了。

"我们出去吧,"雅克不耐烦地说,"这里太热了。我今天带了自行车来。我们骑车到学校后面的操场去吧,看看都有谁在那儿。"

"我们晚点儿再去吧。"我回答,转身向左撇儿咧嘴笑着,"我应不应该给雅克看我们的秘密呢?"

左撇儿也向我咧嘴笑着。他耸了耸肩。

"什么秘密?"雅克问。我就知道他受不了自己被蒙在鼓里。只要有人有什么秘密,而他不知道这个秘密,他就受不了。

"什么秘密?"见我没回答,他又问。

"给他看。"左撇儿说,抛着垒球。

我摸了摸下巴,假装在考虑这件事。"哦……那好吧。"我招手让雅克站在我后面。

"你是想在镜子里做鬼脸吗?"雅克猜测,摇了摇头,"真是大惊小怪。"

"不是的。那才不是我们的秘密呢。"我告诉他。我站在镜子前面,欣赏着镜子里的自己。他正从镜子里盯着我。

"看好了!"左撇儿说,站到雅克旁边。

"我在看着呢,看着呢。"雅克不耐烦地说着。

"我向你打赌,我能在空气中消失。"我告诉雅克。

183

"是的，当然了。"他漫不经心地说。

左撇儿笑了。

"赌多少钱?"我问。

"两美分。"雅克说，"是魔镜游戏什么的吗?"

"跟那个差不多。"我对他说，"十美元怎么样? 赌十美元?"

"什么?"

"别赌了，给他看就得了。"左撇儿说着，不耐烦地跳着。

"我家里有一只魔术箱，"雅克说，"我能玩一千种魔术，可那是小孩子的把戏。"他轻蔑地笑着。

"你肯定没有像这样的魔术。"我自信地说着。

"那你快点儿吧，完了我们就出去。"他不满地说。

我站到镜子前面中间。"嗒当当!"我给自己奏了段音乐。接着，我伸出手，抓住那根灯链。

我拉了一下。镜子上面的灯亮了，起初亮得刺眼，接着恢复到正常的亮度。

我不见了。

"呀!"雅克叫起来，向后退去。

实际上，他是因为震惊而后退的!

我转过身去看他那副目瞪口呆的模样。

"马克斯?"他喊着，眼睛在房间里搜寻着。

左撇儿笑得前仰后合。

"马克斯？"听声音，雅克似乎真的很着急，"马克斯？你做了什么？你在哪儿？"

"我就在这儿。"我说。

听到我的声音，他跳了起来。左撇儿笑得更厉害了。

我伸出手，从左撇儿的手里拿过那只垒球。我看了一眼镜子里的影子。那只球仿佛浮在半空中。

"这儿。接住，雅克。"我把球抛给他。

他仍旧呆立着，一动不动。垒球从他的胸口弹了出去。"马克斯？你是怎么玩这个魔术的？"他问。

"这不是魔术，这是真的。"我说。

"喂，等等……"他脸上出现了一丝怀疑的表情。他冲到镜子后面，他猜我可能躲在后面吧。

他当然没有在那里看到我，显得大为失望。"这里是不是有一道地板门什么的？"他问道。他返回到镜子前面，蹲下身，开始检查地板上是不是有一道门。

我弯下腰，把他的 T 恤衫往头上拉。

"喂——住手！"他嚷着，生气地站了起来。

我挠了挠他的肚子。

"住手，马克斯。"他挪开身体，伸出胳膊，想打我。他现在看起来真的害怕极了。他大口喘着气，脸涨得通红。

我又往上拉了拉他的 T 恤。

他把衣服扯了下去。"你真的隐身了?"他简直不敢相信自己的眼睛。

"这个魔术不错吧,啊?"我用嘴贴着他耳朵说。

他跳了起来:"你感觉怎么样? 很怪吗?"

我没回答他,却偷偷溜出房间,搬起放在门口的一只纸板箱,走到镜子前面。纸板箱很大,孤零零地浮在半空。

我还想再多折磨他一会儿,但我能看出来他快受不了了。再说,那种古怪的感觉又来了,那种头晕目眩、轻飘飘的感觉。刺眼的灯光照得我几乎睁不开眼睛。

"好吧,我回来了,"我宣布,"看着。"

我靠在镜子上,伸手去拉链子。突然我觉得自己疲惫而虚弱。我使出全身的力气才把手绕在链子上。

我有一种奇怪的感觉,觉得那面镜子在拉着我,拉我向它靠近。

我一使劲,拉动了链子。

灯灭了。房间暗了下来。

"你在哪里? 我还是看不见你!"雅克叫着,声音里透着恐慌。

"别急,"我对他说,"这需要点儿时间。我隐身的时间越长,回来所需的时间也越长。"紧接着,我又加了一句，"我想是这样."

当我盯着那面空空如也的镜子，等着自己的影子再次出现时，我突然意识到实际上我根本就不了解眼前的这面镜子，不清楚自己怎么会隐身的，也不知道是怎么回来的。

我的脑海里一下子冒出了各种各样可怕的问题：

我为什么会认为我可以自动回来呢？

要是只能回来两次该怎么办呢？要是第三次隐身了，就永远隐身回不来了怎么办呢？

要是镜子碎了怎么办？要是由于我的失误让谁永远隐身而被永远锁在这间暗室里了又怎么办呢？

要是我永远回不来了怎么办？

不，这是不可能的。我告诉自己。

可是时间一秒秒地逝去了。我的身体还是原样。

我碰了碰镜子，用一只看不见的手滑过光滑而凉爽的镜面。

"马克斯，怎么这么久？"雅克问，声音颤抖着。

"我不知道。"我对他说，跟他一样既担心又沮丧。

接着，突然我又回来了。

我盯着镜子里的自己，紧紧地、感激地盯着，脸上开心地微笑着。

"嗒当当当！"我又吹起凯旋的号角，转身对着我那还在颤抖的伙伴说，"我在这里!"

"哇塞!"雅克叫着，嘴巴形成一个大大的"O"字，"哇塞!"

"我知道，"我咧着嘴笑着说，"酷毙了，是不是?"

我全身摇晃着，差不多是在颤抖着，两只膝盖虚弱得直出汗。你知道那种感觉。

但我没理会这些。我想好好享受这光辉的时刻。由我来做雅克未曾做过的事情，这种情况是不常见的。

"真惊人，"雅克紧盯着那面镜子说，"我一定要试试!"

"这个……"我不确定是否让雅克去试试。这个责任太大了。我是说，万一出了点儿差错怎么办呢?

"你一定要让我试一下!"雅克坚持着。

"咦……左撇儿哪儿去了?"我问，迅速扫视了一下小房间。

"喂? 左撇儿?"雅克的眼睛也四处搜寻着。

"我刚才只顾隐身，忘记他了。"我说道，又叫起来，"喂，左撇儿?"

没人回答。

"左撇儿?"

四周还是一片寂静。

我迅速走到镜子后面。他不在那儿。我一边叫着他的名字，一边向门边走去，向阁楼里望去。

没有他的影子。

"刚才他就站在这里，就在镜子前面的。"雅克说，脸一下子变白了。

"左撇儿?"我大声地喊，"你在这儿吗? 能听见我说话吗?"

周围一片寂静。

"真怪。"雅克说。

我使劲咽了一口口水。我的肚子突然痛了起来，就像我刚吞下一块岩石似的。

"他刚才就在这里，就站在这里。"雅克说，声音颤颤的、抖抖的。

"现在他不见了。"我说着，盯着镜子里那阴暗的影子，"左撇儿失踪了。"

9 爱琳和艾普尔来了

"也许左撇儿也隐身了!"雅克猜测地说。

"那他为什么不回答我们?"我又大声喊叫,"左撇儿——你在这里吗?能听见我说话吗?"

没有人回答。

我走到镜子前,生气地拍着镜框:"愚蠢的镜子。"

"左撇儿?左撇儿?"雅克把双手放在嘴边,做成一个扩音器。他站在小房间的门口,向阁楼里喊着。

"我不相信。"我无力地说。我的腿抖得太厉害了,一屁股坐在地板上。

接着我听到了咯咯的笑声。

"咦?左撇儿?"我跳了起来。

又是咯咯的笑声,是从我搬进小房间的那只纸板箱后面传来的。

我冲向那只纸板箱，这时，左撇儿从后面闪了出来。"吓到你们了！"他大叫着，一脚踢翻纸板箱，用脚蹬着地板，前仰后合地大笑着。

"吓到你们了，你们两个！"

"你这个小坏蛋！"雅克尖叫了一句。

雅克和我同时猛地向左撇儿扑过去。我把他的胳膊往后拽，直到他痛得尖叫起来。雅克弄乱了他的头发，又搔他痒痒。

左撇儿大声叫喊着，咯咯笑着，不断扭着身子。我在他肩上重重地推了一下。"别再那么做了！"我生气地大声喊着。

左撇儿笑了，我重重地推了他一下，站了起来。

雅克和我上气不接下气，脸涨得通红，生气地瞪着左撇儿。他在地板上滚着，浑身沾满了灰尘，却还像个疯子般狂笑个不停。

"你快把我们吓死了。真是的！"我气急败坏地吼着。

"我知道。"左撇儿开心极了。

"我们再打他一顿吧。"雅克向我建议着，两手握起拳头。

"好的。"我同意了。

"那你们得先抓住我才行！"左撇儿大叫了一句。他飞快地爬了起来，冲出了房间。

我追着他，却被一堆旧衣服绊了一下，向前扑倒在地板上。"哎哟！"我的一条腿重重地摔在地上，全身疼痛起来。

　　我缓缓地站了起来，又瞄准了左撇儿。但就在这时，从阁楼楼梯传来有人说话的声音，我不由得停了下来。

　　左撇儿坐在阁楼另一边的窗台上，脸通红通红的，满头大汗，大口喘着气。

　　"喂，你们好吗？"原来是爱琳和艾普尔来了，我拍了拍牛仔裤上的灰尘，用一只手捋了捋头发，对两个女孩喊着。

　　"你妈妈说你们在这里。"爱琳看看左撇儿，又看看我。

　　"你们在这里干什么呢？"艾普尔问。

　　"哦……随便逛逛。"我怒气冲冲地看了一眼弟弟。他冲我伸了伸舌头作为回答。

　　艾普尔从一堆发黄的杂志上捡起一本旧《生活》杂志，开始翻阅起来。可她一碰到书，那些纸就碎了。"讨厌，"她把杂志放下了，"这东西真旧。"

　　"阁楼就是用来放这些旧东西的。"我说，感觉开始恢复正常了，"谁会把新的东西放在阁楼里呢？"

　　"哈哈。"左撇儿讽刺地笑起来。

　　"那面镜子呢？"爱琳问，走到房间中央，"上星期六让我们发生过视觉错误的那面镜子。"

"那不是视觉错误。"我脱口而出。我并不想再提到那面镜子，今天下午我受的惊吓已经够多的了，可那句话就那样从我嘴里迸出来了。

我永远都无法守住任何秘密。这是我性格上的一个大缺点。

"你这话是什么意思?"爱琳饶有兴趣地问。她从我身边走过，向通向那间暗室的门口走去。

"你是说上星期发生的事情不是视觉错误吗?"艾普尔跟着爱琳。

"不，不是的。"我瞟了一眼左撇儿，他还坐在对面的窗台上，"那面镜子似乎拥有一种神奇的能力。它确实会让人隐身。"

艾普尔嘲笑起来。"是吗，你说得对。"她说，"那我今天晚上要乘飞碟飞到火星上去。"

"得了吧你，"我不高兴地说，转过去看着爱琳，"我是认真的。"

爱琳盯着我，满脸的怀疑："你是要告诉我们你走进了那个房间，然后隐身了吗?"

"我不是要告诉你们，"我急急地回答她，"我已经告诉你们了!"

艾普尔笑了。

爱琳继续盯着我，研究着我的脸。"你是认真的。"她作出了判断。

"这是一面魔镜，"艾普尔告诉她，"这就是真相。上面的那盏灯那么亮，会让你们的眼睛产生错觉。"

"做给我们看看。"爱琳对我说。

"对，给她看！"左撇儿热切地喊着，跳下窗台，向那个小房间跑去，"这次让我来，让我来吧！"

"没门儿。"我说。

"让我试试吧。"爱琳自告奋勇地说。

"对了，你们知道还有谁在这儿吗？"我跟着她们向小房间走去，一边说，"雅克也在这儿。"我叫道，"喂，雅克，爱琳想隐身。你觉得我们可以让她试试吗？"

我走进了房间："雅克？"

"他躲到哪儿去了？"爱琳问道。

我暗暗吸了口冷气。

那盏灯开着，雅克不见了。

10 雅克隐身了

"天哪，不要!"我叫道，"我不相信!"

左撇儿笑了："雅克隐身了。"他告诉爱琳和艾普尔。

"雅克——你在哪儿?"我生气地喊起来。

突然，左撇儿手中的垒球向上浮了起来。"喂，把它还给我!"左撇儿喊着，伸手去抓球。可是隐身的雅克把球挪开了。

爱琳和艾普尔凝神屏息地盯着那只飘在空中的球，眼珠子往外鼓着，嘴巴张得大大的。

"嗨，女孩们。"雅克那低沉而有力的声音从镜子前面传了过来。

艾普尔尖叫了一声，抓住了爱琳的胳膊。

"雅克，别开玩笑了。你隐身多久了?"我问。

"我不知道。"垒球又被抛向左撇儿，他没接住，只好

跑着去追它。

"多长时间了，雅克?"我又问了一遍。

"大概五分钟吧，"他回答，"你去追左撇儿的时候，我打开了灯，就隐身了。然后我听见你跟爱琳和艾普尔说话。"

"这阵子你一直隐身吗?"我问，感到紧张而沮丧。

"是的! 真糟糕!"他喊，接下来他的声音里多了份疑虑，"我……我开始感觉有些古怪，马克斯。"

"古怪?"爱琳问，目不转睛地盯着雅克的声音传来的地方，"你说'古怪'是什么意思?"

"我觉得有些头晕，"雅克虚弱地回答，"眼前的一切都好像在分解。你知道，就像一幅糟糕的电视画面。我感觉自己正飘向远方。"

"我把你带回来。"我说，也不等雅克回答，就伸手拉了一下灯链。

灯灭了。房间里陷入一片黑暗，镜子里出现了一个个阴暗的影子。

"他在哪儿?"艾普尔叫，"这没有用。他还没回来。"

"这需要点儿时间。"我解释。

"要多长时间?"艾普尔问。

"我真的不知道。"我说。

"我怎么还没回来?"雅克问。他就站在我旁边，我能感到他嘴里的气吹在我脖子上。"我看不见自己呀。"从他的声音听起来，他似乎真被吓坏了。

"别紧张。"我说，逼自己尽量镇静些，"你知道这要花点儿时间，因为你隐身了这么长时间。"

"可是得多久呢？"雅克哭叫起来，"现在我不是应该已经回来了吗？我记得当时过了这么久，你已经回来了。"

"保持冷静。"我告诉他，尽管我自己的胃里翻滚着，喉咙干干的。

"这太吓人了。我讨厌这样！"艾普尔抱怨起来。

"耐心点儿。"我轻声地说道，"大家要有耐心。"

我们都来回盯着我们以为雅克正站着的地方和镜子。

"雅克，你感觉怎么样？"爱琳问，声音颤抖着。

"感觉很怪，"雅克回答，"好像我永远都回不来了似的。"

"别那么说！"我大声嚷着。

"可我就是那么感觉的，"雅克难过地说，"就像我永远都回不来似的。"

"镇静，"我说，"大家都保持镇静。"

我们默不作声地站着，看着，等着。

等啊等。

长到这么大，我还从来没有这么害怕过。

11 紧张的隐身比赛

"快想想办法!"依然隐身的雅克恳求我,"马克斯……你一定要想想办法!"

"我……我去把妈妈叫来。"左撇儿结结巴巴地说。他把垒球丢到地板上,向门边跑去。

"妈妈? 妈妈能做什么?"我惊恐地喊。

"可是我得找个人来帮忙!"左撇儿大声说。

就在那时,雅克忽然回到了我们的视线里。"哇!"他如释重负般长长地舒出一口气,双膝跪倒在地上。

"噢!"爱琳开心地叫起来,拍着手。我们都围到雅克身边。

"你感觉怎样?"我抓着他的肩,大概是想确认他真的回来了。

"我回来了!"雅克微笑着宣布,"这才是我关心的。"

　　"刚才真吓人，"艾普尔静静地说，双手插进白色网球短裤的裤袋，"我是说真的。"

　　"我没有害怕。"雅克说，他的语气突然变了，"我知道没问题。"

　　你相信这个家伙的话吗？

　　前一秒钟他还哭哭啼啼的，哀求我想想办法呢。可下一秒钟，他就装出开心得不得了的样子。真是位自信满满的先生。

　　"刚才感觉怎么样？"爱琳问，一只手放在镜子的木框上。

　　"棒极了。"雅克回答，一边摇摇晃晃地站了起来，"真的，感觉棒极了！我想星期一上课前再隐身一次，那样我就能躲在衣帽间偷看女孩子了！"

　　"雅克，你是猪！"爱琳厌恶地骂他。

　　"要是不能偷看女孩子，那隐身还有什么用？"

　　"你肯定你没事吗？"我认真地问，"我看你有些摇摇晃晃的。"

　　"哦，到后来我开始感觉有些奇怪了。"雅克认真地说，抓着后脑勺。

　　"这是什么意思？"我问。

　　"哦，就好像被人拉走一样，从房间里拉出去。从你们身边拉开。"

199

"拉到哪儿去?"我问。

他耸了耸肩。"我不知道。我只知道一件事。"他脸上露出了一个笑容,那双蓝色的眼睛似乎亮了起来。

又卖关子了,我心想。

"我只知道一件事。"雅克重复了一句。

"什么事?"我只好问。

"我是新的隐身冠军! 我隐身的时间比你长。我至少隐身了五分钟,比任何一个人都久!"

"可是我还没轮到过呢!"爱琳抗议。

"我可不想被轮到!"艾普尔宣布。

"你是胆小鬼?"雅克戏弄她。

"我觉得你们真蠢,为了这面镜子瞎起劲。"艾普尔激动地说,"这不是玩具,你们知道。你们对这面镜子什么都不了解,不知道它会对你们的身体做出什么。"

"我感觉很好!"雅克对她说,像个大猩猩一样用双手捶着胸口,证明自己很好,他瞟了一眼黑糊糊的镜子,"我准备好再次隐身了——隐身得更久些。"

"我想隐身,走到外面去捉弄别人。"左撇儿兴奋地说道,"下一个让我来吧,马克斯,好吗?"

"我……觉得这样不大好……"

我在想艾普尔的话。我们确实在为一件可能有危险的东西,一件我们什么都不了解的东西瞎起劲。

"马克斯必须先来。"雅克说,在我背上重重地打了一下,几乎把我推到镜子上,"来打破我的纪录。"他冲我咧嘴一笑,"除非你也是胆小鬼。"

"我不是胆小鬼!"我坚持自己的看法,"我只是觉得……"

"你就是胆小鬼。"雅克嘲笑我。他出声地咯咯叫着,像只小鸡一样拍着两条胳膊。

"我不是胆小鬼,让我来。"左撇儿恳求我,"我能打破雅克的纪录。"

"该我了。"爱琳说,"你们都试过了,我还一次没试过!"

"那好吧,"我耸了耸肩,"你先来,爱琳。接着是我。"我很高兴爱琳这么急着要试。这会儿我实在不想再次隐身。

说老实话,我心里十分焦急而紧张。

"下一个是我!"左撇儿急切地说,"下一个该我了!该我了!"他一遍又一遍地重复着。

我用手蒙住他的嘴。"也许我们应该下楼了。"我建议。

"胆小鬼?"雅克取笑我,"你要做胆小鬼出局吗?"

"我不知道,雅克,"我诚实地回答道,"我觉得……"我看见爱琳正瞪着我。她脸上是失望的表情吗?爱琳是不是也认为我是胆小鬼？

"好吧，"我说，"去吧，爱琳，你先上。接着我上，然后是左撇儿。我们都会打破雅克的纪录。"

爱琳和左撇儿拍起手来。艾普尔咕哝了一声，转着眼睛。雅克咧嘴笑了。

这并没什么了不起的，我对自己说。我已经做了三次了，什么危险都没有。只要你冷静、耐心地等待，就能完好无损地恢复原状。

"你们戴手表吗？"爱琳问，"我们需要看时间，这样我才能知道我得坚持多久。"

看得出来，爱琳确实很想参加这场比赛。

左撇儿似乎也很激动。雅克当然会参加任何比赛的。

只有艾普尔对这件事显得很不开心。她默默地走到房间的后面，背靠着墙坐在地板上，双臂叠放在膝盖上。

"喂，只有你戴手表了。"爱琳对艾普尔大声地说，"你来计时，好吗？"

艾普尔漠然地点了点头。她抬起手腕，低头注视着手表："好吧，准备。"

爱琳深深地吸了口气，向前站近了镜子。她闭上眼睛，伸出手，拉了一下灯链。

随着一下闪光，灯亮了。爱琳消失了。

"哇塞！"她叫起来，"真酷！"

"你感觉怎么样？"艾普尔在我们后面喊，她的眼睛从镜子上转到手表上。

"我没觉得有什么不一样，"爱琳说，"这真是减肥的好办法！"

"十五秒。"艾普尔宣布。

左撇儿的头发突然往上直竖。"停下，爱琳！"他大声喊着，从她那双看不见的手边逃开了。

我们听到从左撇儿旁边传来爱琳的笑声。

接着我们听到她的脚步声，知道她走出了房间，进了阁楼。我们看见一件旧大衣在空中飘了起来，在空中舞动着，接着它被放回箱子里。然后我们又看见一本旧杂志飞了起来，书页飞快地翻动着。

"这太有意思了！"爱琳对我们说，那本旧杂志落回到那堆杂志上，"我巴不得马上就这样走到外面去吓吓人们！"

"一分钟。"艾普尔大声地说。她一动不动地坐在那儿。

爱琳在阁楼里转了一会儿，把东西都抛到空中。接着她回到小房间里，在镜子前欣赏自己。

"我真的隐身了！"我们听到她兴奋地大叫，"就像在电影里一样！"

"是的，很棒的特效！"我说。

"三分钟。"艾普尔宣布。

爱琳继续享受着这一切，直到过了四分钟。接着，她的声音突然变了，开始疑虑而害怕。

"我……我不喜欢这样。"她说，"我感到有些奇怪。"

艾普尔跳了起来，冲到我身边。"快把她带回来！"她恳求我，"快点儿！"

我犹豫了。

"是的，把我带回来！"爱琳虚弱地说。

"可是你还没打破我的纪录！"雅克说，"你确定吗？"

"是的，快点儿，我觉得不大对劲。"爱琳的声音突然变得很遥远。

我站到镜子前，拉了一下灯链。灯灭了。

我们等着爱琳回来。

"你感觉怎么样？"我问。

"很……奇怪。"她回答。她就站在我旁边，可是我看不见她。

我们差不多等了三分钟，爱琳才终于出现了。十分紧张的三分钟。

当她重新回到我们的视线里时，她浑身摇晃着，就像一条狗在洗完澡后把身上的水抖掉一样。接着她向我们宽慰地笑了笑："我很好。刚才感觉真好，除了最后几秒

204

钟。”

“你没有打破我的纪录。”雅克开心地说，“你快打破了，可你退缩了。毕竟是女孩子嘛!”

“哎……”爱琳重重地推了雅克一下，“别傻了!”

“你只要再坚持十五秒就好了，可你打退堂鼓了!”雅克对她说。

“我才不在乎。”爱琳坚持自己的看法，生气地向他皱着眉，“那样很好。我下次会打破你的纪录的，雅克。”

“我会打败你的。”左撇儿自信地说，“我要隐身一整天，也许两天!”

“哇塞!”我大声地说，“那样可能有危险，左撇儿。”

“下面轮到马克斯了，”雅克宣布，“除非你弃权。”

“没门儿。”我瞟了一眼爱琳，迟疑地站到镜子前，深吸了口气，“好吧，雅克，跟你的纪录告别吧。”我说，想显得冷静而自信。

我并不是真的想这么做，我向自己承认。不过我不想在其他人面前表现得像个胆小鬼。如果我真的退缩了，我知道在接下来的日子里，左撇儿会对我唠叨个没完的。

所以我决定接受挑战。

“有件事，”我对雅克说，“等我叫‘准备’，那就意味着我想回来了。所以只要我说‘准备’，你就以最快的速度把灯关掉……好吗?”

205

"明白了。"雅克回答，表情显得很严肃，"别着急，我会马上把你带回来的。"他打了个响指，"就像这样。记住，马克斯，你一定要坚持五分钟以上。"

　　"好的，来吧。"我说，注视着镜子里的自己。

　　我突然有一种不祥的预感。

　　十分糟糕的预感。

　　可我还是伸出手，拉动了灯链。

12 灯链断了

当耀眼的灯光渐渐暗下来，我紧紧地盯着镜子。

镜子里的影子明亮而清晰。我能看见靠在后墙上的艾普尔，坐在地板上，紧紧地盯着手表。

左撇儿站在右面的墙边，正向我站的地方张嘴瞪着，傻傻地笑着。雅克站在他旁边，双臂抱胸，也盯着镜子看。爱琳则倚在左面的墙上，眼睛盯着镜框上的灯。

我在哪儿呢？

就站在镜子前面，站在镜子正前方，盯着他们的影子看，盯着自己在镜子里的影子。

只是上面我的影子并没有真的出现。

我感觉十分正常。

我试着踢了踢地板。我虽然看不见自己的鞋子，却听到了跟往常一样的声响。

我用右手抓住左臂，捏了一下，也完全正常。

"大家好。"我说。我的声音也跟平时没什么两样。

唯一的变化是我不见了。

我抬头望着那盏灯，灯光在镜子上洒下黄色的长方形光晕。那盏灯有什么魔力吗？我感到疑惑不解。

它会对人体的分子产生什么作用吗？会把分子分解，所以人们就看不见你了吗？

不是的。这个解释不太合理。如果你的分子分解了，你一定会感觉到的。那样你就不能踢地板，也不能抓胳膊或者说话了。

那么这盏灯到底做了什么？是不是把你掩盖起来了？它是不是就像一条毯子，一种遮盖物，使得你自己和别人都看不到你？

真神秘！

我感觉自己永远都解不开这个谜，永远都不能知道答案。

我把眼睛从那盏灯上转开。灯光太强了，会刺伤我的眼睛。

我闭上眼睛，但那耀眼的灯光仍然在我面前闪耀。眼前有两个白圈，久久不能散去。

"你感觉怎么样，马克斯？"爱琳的声音突然打断了我的思路。

"还行吧，我想。"我说，我的声音听起来很奇怪，似乎是从远处传来的。

"四分三十秒。"艾普尔宣布。

"时间过得真快。"我说。

至少我以为自己说了。我发现自己分辨不出自己是说了那些话，还是只是在心里想的。

耀眼的黄色灯光似乎更加明亮了。

我突然觉得灯光倾泻在我身上，紧紧地包围住了我。

它正在把我拉走。

"我……我感到有些古怪。"我说。

没有人回答。

他们听得见我说话吗?

灯光层层叠加在我身上。我感到自己开始往上飘浮。

这感觉蛮吓人的，仿佛我正失去控制自己身体的能力。

"准备!"我叫，"雅克——准备! 你能听见我吗，雅克?"

似乎过了几个小时雅克才回答: "好的。"他的声音听起来很轻，很遥远。

似乎是从好几英里以外传来的。

"准备!"我喊着，"快准备!"

"好吧!"我又听到了雅克的声音。

209

可是灯光依然那么明亮，仿佛会刺伤我的眼睛。黄色的灯光犹如波浪，一阵阵地向我席卷过来。海浪般的灯光试图把我卷走。

"快拉灯，雅克!"我尖叫。起码我以为自己在尖叫。

灯光用力地拉着我，仿佛要把我拉到很遥远的地方。

我知道我会飘走的，永远向远处飘移。

除非雅克把灯关掉，把我带回来。

"快拉! 拉呀! 求你了——快拉!"

"好的。"

我看见雅克走近了镜子。

在一片晃动的影子中，他看起来十分模糊。

他是那么遥远。

我感到自己如羽毛般轻盈。

我模模糊糊地看见雅克跳了起来，抓住灯链。

他使劲地往下拉了一下。

可是灯并没有灭。灯光反而更亮了。

接着我看见雅克的脸上充满了恐惧。

他举起手，想给我看样东西。

他手里拿着那根灯链。

"马克斯，链子……"他结结巴巴地说，"断了。我关不掉那盏灯!"

13 我回来了

在耀眼的黄色灯光下，我清楚地看到了雅克那只向我伸出的手。那条黑色的链子挂在他手上，就像一条死蛇。

"链子断了!"他惊恐地大声叫着。

我盯着那条链子，感到自己在雅克旁边往上飘了起来，飘着，渐渐消失。

远处，艾普尔在尖声叫着什么。我听不清她的声音。

左撇儿呆呆地站在房间中央。很难得看到他站着不动。他总是在动，在跳、跑、摔。可是现在，他呆立着，盯着灯链。

灯光变得更加耀眼了。

我突然看到有人动了起来。

有个人正穿过房间。我努力集中自己的视线。

是爱琳。她正在地板上拖动一个大箱子，箱子在地板上拖动的声音似乎从很遥远的地方传来。

我感到自己正被拉走。我努力看着她，只见她把箱子搬到镜子旁，然后站到箱子上。

她伸出手去够那盏灯。我看到她在灯光中注视着。

我想问她在干什么，可是我离得太远了。我正在飘走。我感到轻飘飘的，就像一片羽毛。

我飘动着，那黄色的灯光洒遍我的全身，将我覆盖，将我拉走。

突然，灯光不见了。

一切都陷入黑暗。

"我成功了！"爱琳大声喊着。

我听见她向其他人解释："上面留着一小段链子。我拉了一下，就关上灯了。"她的眼睛发疯似的在房间里扫视着，寻找着我。"马克斯……你还好吗？能听见我说话吗？"

"是的，我很好。"我回答。

我感觉好一点儿了，强壮一点儿了，离他们也近了些。

我靠近镜子，在上面寻找自己的影子。

"那太吓人了。"左撇儿在我身后说。

"我能感觉自己正在回来。"我对他们说。

"他坚持了多长时间？"雅克问艾普尔。

艾普尔紧张地皱着眉头。她仍然靠墙坐着，脸色苍白。"五分四十八秒。"她对雅克说，接着又很快地加了一句，"我真觉得这场愚蠢的比赛是一个很大的错误。"

"你打破了我的纪录！"雅克不满地说，转身向着他所认为我站立的地方，"我不相信！快六分钟了！"

"我要比他坚持得久。"左撇儿说，推开雅克，站在镜子前。

"我们必须先得把链子修好。"爱琳对他说，"爬到箱子上去拉那一小段链子实在太困难了。"

"到了最后我觉得十分古怪。"我对他们说，仍等着自己重新出现，"灯光变得越来越亮。"

"你是不是觉得被拉走了？"爱琳问。

"是的，"我回答，"就像我正在慢慢消失似的。"

"我刚才也有这种感觉。"爱琳大声说着。

"这非常危险。"艾普尔摇着头说。

我回来了。

我的膝盖弯着，几乎摔倒在地板上。但我抓住了镜子，站稳了。过了几秒钟，我的腿又变得强壮起来。我走了几步，身体才渐渐恢复了平衡。

"要是我们关不掉灯怎么办？"艾普尔问，站了起来，双手拍打着牛仔裤后面的灰尘，"要是灯链完全断了，灯一直亮着怎么办？怎么办？"

我耸了耸肩："我不知道。"

　　"你打破了我的纪录。"雅克说着，做了个鬼脸，"这意味着我必须再来一次。"

　　"没门儿!"左撇儿叫起来，"接下来该我了!"

　　"没有人听我的话!"艾普尔大声地说，"回答我的问题。要是你们其中的一个隐身了，而灯关不掉怎么办?"

　　"那样的事是不会发生的。"雅克对她说，从口袋里掏出一根线，"看，我要把这个牢牢地系到灯链上。"他爬到箱子上，开始干活。"一拉这根线，灯就灭了。"他对艾普尔说，"没问题。"

　　"咱们谁第一个隐身到外面去?"爱琳问。

　　"我想到学校去吓吓哈金小姐。"左撇儿窃笑着说，哈金小姐是他的社会学老师，"一开学她就一直恐吓我。我要偷偷地走到她身后，对她说声'你好，哈金小姐'，不是很好玩吗? 当她转过身时，会发现后面什么人也没有!"

　　"你就只能想出那种主意吗?"爱琳嘲笑他，"左撇儿，你的想象力到哪里去了? 难道你不想让粉笔从她手中飞出去，让黑板擦在房间里飞来飞去，让废纸篓里的东西都倒在她的桌子上，让她喝的酸奶飞到她脸上?"

　　"对呀! 那太酷了!"左撇儿欢呼起来。

　　我笑了。这主意真好玩。我们四个人可以走来走去，没人能看见我们，我们可以干任何想干的事。我们可以在十分钟里把整个学校闹翻！每个人都会大叫，冲出房间！那岂不是很酷！

"可我们现在做不了。"左撇儿说，打断了我的思路，"因为轮到我来破纪录了。"他转身对着艾普尔，她正紧张地站在门口，扯着一缕黑发，着急地皱着眉，"准备好为我看时间了吗?"

"好吧。"她叹了口气。

左撇儿推开我，站到镜子前，盯着镜子里自己的影像，伸出手去拉那根线。

14 梅梅和波比

"左撇儿!"一个声音从我们身后喊,"左撇儿!"

我被这突然的叫声吓了一跳,不由得尖叫了一声。左撇儿赶紧从镜子前向后退去。

"左撇儿,告诉你哥哥,他的朋友们必须离开了!该吃晚饭了。梅梅和波比在这儿,他们很想见你们!"

原来是妈妈,在楼下喊着。

"好吧,妈妈。我们马上下来!"我很快地回答。我不想让她上来。

"可这不公平!"左撇儿抱怨,"我还没轮到呢!"

他又走到镜子前,生气地重新抓住那根线。

"把它放下,"我严厉地对他说,"我们必须下楼。快点儿。我们不想让爸爸妈妈上来看到镜子,是吧?"

"好吧,好吧,"左撇儿咕哝着说,"可是下一次,我一定要先来。"

"接着是我。"雅克说，开始向楼梯走去，"我得打破你的纪录，马克斯。"

"大家都别说了。"当我们爬下楼梯时，我警告大家，"说点儿别的。我们不想让他们听见。"

"我们明天可以过来吗?"爱琳问，"我们可以继续比赛。"

"我明天很忙。"艾普尔说。

"明天不行。"我回答，"我们要去春田看表姐。"他们提醒我这件事了，我感到很不高兴。我表姐家有一条其大无比的牧羊犬，老喜欢在泥浆里打滚，再跳到我身上，在我衣服上擦它那毛茸茸的爪子。我可不认为那样很好玩。

"星期三不上课，"雅克说，"好像老师们要开会。也许我们可以星期三过来。"

"也许吧。"我说。

我们走进门厅。每个人都不说话了。我看见爷爷奶奶和爸爸妈妈都已经在餐桌边坐好了。我爷爷奶奶喜欢准时开饭。要是晚了一分钟，他们就会一整天都骂骂咧咧的。

我飞快地把伙伴们带出门去，提醒他们不要告诉任何人我们做的事情。雅克又问我星期三是否可以，我还是告诉他我不确定。

隐身确实令人兴奋，不过也让我紧张。我不确定自己是否那么快就要再试一次。

"求你了！"雅克恳求我。他迫不及待要隐身，打破我的纪录。他不能忍受自己不是冠军。

我在他们身后关上前门，跑到餐厅去见爷爷奶奶。当我进去的时候，他们已经在喝汤了。

"你好，梅梅！你好，波比！"我走到桌子边，分别在他们脸上亲了一下。奶奶脸上有橙子的味道。她的脸松松的，软软的。

"波比"和"梅梅"是我小时候对爷爷奶奶的称呼。现在还这样叫他们实在有些不好意思，不过我还这样叫。我没有更多的选择。他们甚至叫彼此为"梅梅"和"波比"！

他们长得很像，就像一对兄妹。我猜，当两个人结婚一百年后，就会发生这种情况的。他们俩的脸都是长长的、瘦瘦的，花白的头发短短。他们都戴着一副厚厚的银丝框架眼镜。两人都骨瘦如柴，长着一双悲伤的眼睛，露出悲伤的表情。

我今天不太喜欢坐在那里跟他们聊天，我还在想今天下午和伙伴们所做的事情。

隐身的感觉真是既古怪，又兴奋。

我想一个人静静地想想这件事，你知道。重新温习一遍，温习那种感觉。

每当我干了件十分兴奋或有意思的事情时，我都会走进自己的房间，躺在床上，专心致志地回味这件事，条理严谨地进行分析。

爸爸说我有一个科学头脑。我想他说得对。

我走到自己的座位边。

"你好像变矮了。"波比说，用餐巾擦了擦嘴。这是他常开的玩笑。他一看见我就会开这种玩笑。

我勉强笑了笑，坐了下来。

"你的汤肯定已经冷得像冰一样了。"梅梅咂咂嘴说道，"我最讨厌冷汤了。我是说，要是汤不是热乎乎的，那还吃它干什么呢？"

"喝起来还可以。"我尝了一口汤。

"去年夏天我们有一些非常好吃的冷汤。"波比说，他喜欢跟梅梅唱反调，跟她拌嘴，"是草莓汤，还记得吗？你不会想要吃热乎乎的草莓汤吧？"

"那不是草莓，"梅梅皱着眉对他说，"那根本不是汤，是一种新型的酸奶！"

"不，不是的。"波比坚持地说，"那就是冷汤。"

"你错了，跟以前一样！"梅梅骂道。

他们会吵得越来越凶，我心想。"这是什么汤？"我问道，试图让他们停止争吵。

"鸡肉面汤。"妈妈很快地回答，"你吃不出来吗？"

"几个星期以前，波比和我喝了一种我们不知道是什么的汤。"奶奶摇着头说，"我们只好问侍者那是什么汤，看起来根本不像我们所点的那种汤。那是韭葱马铃薯浓汤，是不是，波比？"

波比正在嚼着面条，过了好久才回答："不是，是西红柿汤。"

"你弟弟去哪儿了？"爸爸问，盯着我旁边的空位。

"啊？"我吃了一惊。我听爷爷奶奶关于汤的争吵听得太入神了，竟把左撇儿给忘了。

"他的汤凉了。"波比说。

"你得去热一下。"梅梅又呷嘴说。

"他在哪儿？"爸爸问。

我耸了耸肩。"刚才他就在我后面。"我说，转向餐厅门口，大声地喊，"左撇儿！左撇儿！"

"坐在餐桌旁别大声叫！"妈妈生气地说，"站起来去把他找来。"

"还有汤吗？"波比问，"我还不够。"

我放下餐巾，准备站起来。但我还没起身，突然看见左撇儿的汤碗被举到了空中。

哦，天哪！我心想。

我马上知道发生了什么事。

我那白痴弟弟已经隐身了，现在他觉得这样很好玩，想把餐桌边的每个人都吓得半死。

汤碗从左撇儿的座位上飘了起来。

我站起来，侧过身去，飞快地把它放在桌上。

"出去!"我小声对左撇儿说。

"你说什么?"妈妈盯着我问。

"我说我出去找左撇儿。"我反应十分迅速。

"出去……就现在!"我又小声对左撇儿说。

"别光说不做了，快去吧。"妈妈不耐烦地说。

我站了起来，可是我那愚蠢的隐身弟弟又举起了他的水杯。玻璃杯在桌子上飘着。

我倒抽了口气，伸出手去抓杯子。

可是我用力过度，把杯子撞倒了，里面的水都流到桌子上。

"哎呀!"妈妈尖叫起来。

我把杯子放回原位。

然后我抬起头，看到爸爸正盯着我，眼睛里闪着怒火。

他知道了，我心想。突然感到一阵害怕。

他看到了刚才的一切，他明白了。

左撇儿把一切都毁了。

15 魔镜发声了

爸爸在桌子那边生气地盯着我。

我等着他说："马克斯，为什么你弟弟隐身了？"可是相反，他却大吼了起来："别玩了，马克斯！我们不想看你扮小丑。快去把你弟弟找来！"

我如释重负。原来爸爸并不知道发生了什么事，他以为我只是在胡闹。

"还有汤吗？"我感激地离开桌子，跑出餐厅时，听到波比又问道。

"你已经吃够了。"梅梅批评他。

"不，还没有！"

我飞快地穿过起居室，大步爬到二楼，在通向阁楼楼梯的门厅停了下来。"左撇儿？"我小声地问，"我希望你跟我来了。"

　　"我在这儿。"左撇儿也小声回答我。我当然看不见他，可他就在我旁边。

　　"你又在打什么鬼主意了？"我生气地质问，我不是一点点生气，简直气疯了，"你想得那个愚蠢的冠军吗？"

　　左撇儿对我的气恼根本不在意，反而咯咯笑起来。

　　"闭嘴！"我小声地骂，"快闭嘴！你这个笨蛋！"

　　我打开阁楼的灯，重重地爬着楼梯。我能听见他在我后面爬楼梯的脚步声。

　　爬到楼梯顶部时，他还在咯咯笑着。"我赢了！"他宣布。我感到背上被一只手重重地打了一下。

　　"停下，笨蛋！"我尖叫起来，飞快地跑到放着那面镜子的小房间里，"你难道还不知道你差点儿把一切都搞砸了吗？"

　　"可是我赢了！"他欢快地重复了一遍。

　　镜子上的灯闪闪地亮着，镜子里映出一片太阳光般的金黄色。

　　我真的不能相信左撇儿。他通常是个非常自私的孩子，可还不至于这么自私！

　　"你还没意识到你可能给大家带来什么麻烦吗？"我对他大叫。

　　"我赢了！我赢了！"他还在叫着。

　　"为什么？你隐身多久了？"我问。我站到镜子前，拉

223

了一下那根线。灯灭了。那片光亮却依然在我眼前闪耀着。

"你们下楼去后我就隐身了。"左撇儿还在隐身，自豪地说。

"那差不多有十分钟了！"我喊。

"我是冠军！"左撇儿大声地宣布。

我盯着镜子，等着他重新出现。

"傻瓜冠军，"我又说一了遍，"这是你干过的最愚蠢的事情。"

他什么都没有回答。最后，他静静地问："为什么这么久我还没回来？"

我还没回答，听见爸爸在楼下大声地喊："马克斯，你们俩在上面吗？"

"是的，我们马上下来。"我喊。

"你们两个在上面干什么？"爸爸生气地问。我听见他正从楼梯爬上来。

我跑到楼梯顶部，把他挡住了。"对不起，爸爸，"我说，"我们就来。"

爸爸站在楼梯口向上盯着我："上面到底有什么好玩的？"

"就是一些旧东西。"我结结巴巴地说，"没什么特别有意思的，真的。"

这时，左撇儿在我后面出现了，跟以前没什么两样。爸爸走回起居室。左撇儿和我下了楼。

"哇，妙极了!"左撇儿感叹着。

"你有没有感到有些怪异?"我问，尽管只有我们两个人，却说得很小声。

"没有，"他摇了摇头，"我感觉很好。实在是太妙了! 当我使汤碗飘到空中时，你真应该看看你脸上的表情!"他又开始咯咯笑起来，我一直讨厌他那尖细的笑声。

"听着，左撇儿。"我在楼梯底部停了下来，挡在他前面，警告他，"隐身游戏是很好玩，但可能有危险。你……"

"妙极了!"他又说了一遍，"我是新的冠军。"

"听我说，"我急切地说，抓住了他的肩膀，"你听我说。你一定得答应我，你不会一个人到上面去隐身了。我是认真的。一定要有人跟你在一起，答应我好吗?"我用力拧着他的肩膀。

"好吧，好吧。"他说着，扭着身子，"我答应你。"

我往下看去，只见他两只手的手指交叉着（手指交叉，形成一个十字架状，祈求好运的意思。——译者注）。

那天晚上爱琳给我打电话了。那时差不多十一点了。我穿着睡衣，躺在床上看书，一边想着下楼去求爸爸妈妈让我看《周六现场秀》。

爱琳似乎很兴奋。她连你好都没说，就开始用她那又尖又细的嗓音飞快地说了起来。她说得那么快，我几乎听不清她在说什么。

"科学展怎么样?"我问，把听筒拿得离耳朵远点儿，希望这样可以听得清楚些。

"那项比赛，"爱琳一口气说，"奖品是一个银牌，还有'影像世界'的礼品券。你记得吗?"

"记得，那又怎样?"我还不明白她的意思。我想大概是自己有点儿困了。今天过得十分紧张，我累了。

"我说，要是你把那面镜子带到学校会怎样?"爱琳兴奋地问，"你知道，我会让你隐身的。再把你带回来，我来隐身。那就是我们的计划。"

"可是，爱琳……"我开始抗议。

"我们会赢的!"爱琳打断了我的话，"我们一定会赢的! 我是说，谁会打败它呢? 我们会得第一名的。那样我们就出名了!"

"哇塞!"我叫，"出名?"

"当然啦，出名!"她大叫，"我们的照片会被刊登在《人物》杂志上!"

"爱琳，我还不太确定。"我轻声地说，使劲思考着。

"什么? 你不确定什么?"

"不太确定是不是要出名。"我回答，"我真的不知道是不是要让每个人都知道那面镜子。"

"为什么不？"她不耐烦地问，"每个人都想出名，还想变得有钱。"

"可他们会把镜子拿走的。"我解释，"它有魔力，爱琳。我是说，它是在变魔术吗，还是电子控制的？是有人发明出来的吗？不管它到底是什么，它令人难以置信！他们不会让它留在一个孩子那里的。"

"可它是你的！"她坚持自己的意见。

"他们会带走它作研究。科学家们想要它，政府的人也想要，还有军队。他们可能会想用它来制造看不见的武器什么的。"

"真吓人。"爱琳若有所思地喃喃道。

"是的，是很吓人。"我说，"所以我不确定。我得考虑一下，好好考虑一下。同时，还得保密。"

"是的，我想是这样。"她迟疑地说，"可是想想科学展吧，马克斯。我们会拿奖的，真的。"

"我会考虑一下的。"我对她说。

我还什么都没想过呢！我发现。

"艾普尔想试试。"她说。

"什么？"

"我说服她了。我告诉她这不会伤到什么，所以她想星期三来试试。我们星期三来你家，好吗，马克斯？"

"好吧。"我犹豫地回答，"既然每个人都想试的话。"

"太棒了！"她大喊，"我会打破你的纪录的。"

"新的纪录是十分钟。"我告诉她，向她说了左撇儿在晚饭时的冒险。

"你弟弟真是个小疯子。"爱琳评论道。

我同意她的看法，然后跟她道了晚安。

那天晚上我又失眠了，躺在床上辗转反侧，数绵羊，用尽了各种办法都没用。

我知道自己困极了，可我的心狂跳不停，就是静不下来。我盯着天花板，一直想着头上小房间里的那面镜子。

已经将近凌晨三点了，我终于光着脚，悄悄地溜出了房间，向阁楼走去。像上次一样，我一边往上爬，一边把整个身体都靠在栏杆上，以免木头楼梯发出吱吱嘎嘎的响声。

当我快步走向那个小房间时，我的脚趾踢到了一个木板箱的一角。

"哎哟！"我尽量压低声音。我想跳起来，但我尽量忍住疼痛，迫使自己站稳。

我终于能走路了，便向小房间走去。我搬了一个箱子放到镜子前面，坐了下来。

我的脚趾还在疼着，不过我竭力不去管它。我盯着镜子里自己的影子，首先检查自己的头发，当然是头发。头发全都乱了，可我真的不在乎。

接着我盯着自己影子的后面。我想自己大概只是想往镜子里看得更深些。我真的不知道自己在做什么，为什么到阁楼上面来。

我又累又兴奋，又好奇又困惑，又困乏又紧张。

我把一只手放在镜子玻璃上，又一次吃惊地发现玻璃是那么冰凉，而这个房间却这么闷热，几乎没有多少空气。我把手紧紧地贴在玻璃上，然后把手移开，发现上面并没有留下手印。

我把手移到木头镜框上，摸着光滑的木板，站了起来，慢慢地走到镜子后面。后面太黑了，我没法仔细检查它。但其实也没什么好检查的。镜框的背面光滑而平整，没什么特别的。

我又回到镜子前面，抬头盯着那盏灯。它跟普通的灯看起来没什么两样，没什么特别之处。灯泡的形状很古怪，长长的，很薄。不过那就是一只普普通通的灯泡。

我重新坐到木板箱上，双手支着脑袋，困乏地盯着那面镜子，无声地打了个哈欠。

我知道我应该下楼睡觉去。爸爸妈妈一大早就会把我们叫醒，然后开车去春田。

可有什么东西让我留在这里。

大概是我的好奇心吧。

我不知道自己在那儿坐了多久，像一尊雕像，注视着自己一动不动的影子。可能只有一两分钟，也可能是半个小时。

　　可是过了一会儿，正当我盯着镜子看时，里面的影子忽然显得不那么清晰了，而变得模糊起来，变成了深颜色。

　　接着我听到了轻轻的声音。

　　"马克斯。"

　　就像风吹过树林，树叶晃动的声音。

　　不是人的说话声，也不是窃窃私语声。

　　只是有些像窃窃私语声而已。

　　"马克斯。"

　　起先，我以为是自己的幻觉。

　　那声音那么微弱、轻柔，却又离我那么近。

　　我屏住了呼吸，竖起耳朵聆听着。

　　可又没有声音了。

　　那么确实是我听错了，我自言自语。是我想象出来的。

　　我深吸了口气，再慢慢地把气呼出来。

　　"马克斯。"

　　那个声音又来了。

　　这一次，声音响一些了。听起来似乎很难过，几乎是在哀求，在喊救命。是从十分遥远的地方传来的。

"马克斯。"

我用双手掩住耳朵。我是想把这声音盖住吗？看我是不是能让它消失？

在镜子里面，那些深色的影子缓缓跳动着。我盯着镜子里的自己，看到自己脸上的表情紧张而害怕。我发现自己浑身冰凉，全身都在颤抖。

"马克斯。"

我发现，那个声音是从镜子里传出来的。

是我的影子在对我说话吗？还是我影子后面发出的声音？

我站了起来，转过身，跑了起来，赤裸的脚打在硬木地板上。我跳下楼梯，飞一般地穿过门厅，冲到自己的床上。

我把眼睛闭得紧紧的，祈求那个吓人的声音不要跟着我。

16 左撇儿不见了

我把毯子拉到下巴。我感到寒冷，浑身颤抖着。

我急促地呼吸着，用双手紧紧地抓着毯子上端，等待着，聆听着。

那个声音会跟到我的房间里来吗？它是真实的，还是我自己想象出来的？

是谁在叫我，用那种难过而绝望的声音小声叫着我的名字？

突然我听到比我自己更大声的喘气声。我感到脸上有一股热气，酸溜溜、湿乎乎的。

它扑到我身上，抓着我的脸。

我惊恐地睁开了眼睛。

"白蒂！"我叫了一声。

那只狗用两条后腿站着，趴在毯子上，发狂地舔着我的脸。

"白蒂，我的好狗狗！"我笑着叫它。它那粗糙的舌头搔我的痒痒。看到是它，我从来没有这么高兴过。

我抱住它，把它拉到床上。它高兴地呜呜叫着，尾巴发狂似的摇着。

"白蒂，你怎么了？"我抱着它，"你也听到声音了吗？"

它低低地叫了一声，似乎在回答我的问题。接着它从床上跳了下来，在地毯上连转了三个圈，替自己安了个窝，然后躺了下来，大声打了个哈欠。

"今天晚上你真怪啊。"我说。它把身体蜷缩成一个球状，轻轻地咬着自己的尾巴。

在白蒂轻微鼾声的陪伴下，我终于睡着了，虽然睡得并不安稳。

当我醒来时，房间窗外的天空还是灰蒙蒙的。窗户只开了一条缝，窗帘被一阵强风吹得直晃。

我飞快地坐了起来，心里十分警醒。我不能再到阁楼上去了，我心想。

我必须忘记那面奇怪的镜子。

我站起来，伸了个懒腰。我一定得停下来，我还要让每个人都停下来。

我想起了昨天晚上那轻轻的叫喊声，那个小声叫着我

233

名字的难过的声音。

"马克斯!"

从我房间外传来的声音把我从沉思中唤醒。

"马克斯——该起床了!我们要去春田,记得吗?"妈妈在门厅里喊我,"快点儿。早饭放在桌子上了。"

"我已经起来了!"我喊,"我过一分钟就下来。"

我听到她下楼的脚步声。接着我听到白蒂在楼下对着门叫着,想出去。

我又伸了个懒腰。

"哇!"壁橱的门突然被撞开了,我大叫了一声。

一件红色的盖普 T 恤衫从顶层的架子上飞了起来,开始在房间里飘移。

我听到了咯咯的笑声,熟悉的笑声。

那件 T 恤衫在我前面舞动着。

"左撇儿,你真荒唐!"我生气地训他,伸手去抓 T 恤衫,可它挪开了,"你答应过我不再这样做了!"

"我已经祈求上帝保佑了!"他咯咯笑着说道。

"我才不管呢!"我大叫,我向前冲去,抓住了 T 恤衫,"你一定得停下来。我是认真的。"

"我只是想给你个惊喜。"他说,显得很伤心。一条牛仔裤从壁橱架子上飞了起来,在我面前走来走去。

"左撇儿,我要杀了你!"我喊,接着我降低声音,以免被爸爸妈妈听见,"把裤子放下……快!上楼去把灯关掉。快点儿！”

我向牛仔裤的方向晃了晃拳头。我生气极了。

他为什么要这么愚蠢？他还没意识到这不仅仅是游戏吗？

突然，那条牛仔裤落到地毯上。

“左撇儿，把它扔给我。”我生气地说，“上楼去，变回来。”

没人回答我。

牛仔裤没有动。

“左撇儿——不要玩了。”我骂道，感到一阵恐惧，“把牛仔裤扔给我，离开这儿。”

还是没人回答。

牛仔裤还是躺在地毯上一动不动。

“快结束这愚蠢的游戏！”我尖叫道，“你一点儿也不好玩！快停下。真的，你吓死我了！”

我知道他想听这些话。只要我承认他把我吓着了，我肯定他会咯咯笑着按我说的去做的。

可是现在没人回答。房间里死一般的寂静。窗帘向我飘过来，接着又沙沙地飘了回去。牛仔裤依旧躺在地毯上。

“左撇儿？喂，左撇儿？”我大声叫着，声音颤抖着。

没有人回答。

“左撇儿？你在这儿吗？”

不在。

左撇儿不见了。

17 我决定不玩了

"左撇儿?"我的声音虚弱而颤抖。

他不在这儿。这不是游戏。他不见了。

我想也没想,跑出房间,跑过门厅,沿着楼梯爬到阁楼上。我的光脚敲着陡峭的木头台阶。我的心跳得更厉害了。

当我进入闷热的阁楼时,一阵恐慌把我攫住了。

要是左撇儿永远消失了怎么办?

我惊恐地尖叫了一声,冲进那个小房间。

明亮的灯光刺痛了我的眼睛。

我用一只手挡着灯光,走到镜子前,拉了一下那根线。灯光立即灭了。

"左撇儿?"我着急地叫他。

没有人回答。

"左撇儿？你在这儿吗？听见我说话了吗？"一阵恐惧塞住了我的喉咙。我喘着粗气，几乎说不出话来。

"左撇儿？"

"你好，马克斯。我在这儿。"弟弟的声音从我右边传来。

听到他的声音，我真开心。我转过身，拥抱了他一下，尽管我看不见他。

"我没事。"他说，似乎被我感动了，"真的，马克斯。我没事。"

过了好几分钟，他才重新出现。

"怎么了？"我问，从头到脚打量着他，仿佛几个月没看到他了，"刚才你在我房间里胡闹，接着就不见了。"

"我很好。"他耸了耸肩，又说了一遍。

"你上哪儿去了？"我问。

"就在这儿。"他又说了一句。

"可是，左撇儿……"他身上似乎哪里跟以前不太一样了，我不太确定到底是什么。但盯着他的脸，我敢肯定他哪里出了点儿问题，怪怪的。

"别那样盯着我看了，马克斯。"他把我推开了，"我很好。真的。"他从我身边跳开去，向楼梯走去。

"可是，左撇儿……"我跟着他走出了房间。

"别问了，好吗？我很好。"

"离镜子远点儿。"我严厉地说，"听到了吗？"

他开始走下楼梯。

"我是认真的，左撇儿。别再隐身了。"

"好吧，好吧，"他不耐烦地说，"我不再玩了。"

我注意了一下他的手，这一次他不再把手指交叉起来了。

妈妈在门厅里等我们。"你们终于来了。"她不耐烦地说道，"马克斯，你还没换衣服！"

"我很快就好。"我对她说，接着便冲进了自己的房间。

"左撇儿，你的头发怎么了？"我听见妈妈问弟弟，"你梳得跟以前不一样了还是怎么了？"

"不，"我听见左撇儿回答，"跟以前一样，妈妈。真的。也许是你的眼睛不一样了。"

"废话少说，快下楼来。"妈妈对他说。

左撇儿一定有问题。妈妈也发现了。可是我不知道他到底怎么了。

我把牛仔裤从地板上捡起来，穿了上去，这才感觉稍微好了些。我真怕自己的弟弟出了什么可怕的事情，怕他会永远消失，怕自己永远都看不到他了。

这一切都是由于那面愚蠢的镜子，由于隐身是这么刺激的经历。

我突然想起了爱琳、艾普尔和雅克。

他们那么兴奋地期待星期三的到来，期待那场比赛。这次连艾普尔也想尝试一下隐身的滋味了。

不行，我想。

我必须给他们打电话，告诉他们。

我真的下定决心了。

不再有什么镜子，不再有什么隐身的事情。

我从春田回来后就给他们打电话。我会告诉他们，比赛取消了。

我坐在床上，开始系鞋带。

我想，这样我就轻松多了。

我打定主意不再用那面镜子了，感觉似乎好多了。我的所有恐惧似乎都烟消云散了。

可是我不知道最可怕的时刻其实还没有到来。

18 伙伴们来了

想想看，星期三早上，当雅克、爱琳和艾普尔出现在我家门口的时候，我有多惊讶。

"我告诉过你们比赛已经取消了。"我通过纱门，目瞪口呆地盯着他们，语无伦次地说。

"可是左撇儿给我们打电话了。"爱琳回答，"他说你改变主意了。"其他两个也这么说道。

我的嘴巴大得合不上了："左撇儿？"

他们点了点头。"他昨天给我们打电话了。"艾普尔说道。

"可左撇儿今天早上根本不在家。"我对他们说，开门让他们进来，"他在操场上跟一些朋友玩垒球。"

"谁来了？"妈妈问。她走到门厅里，在一块擦碗布上擦着双手。她看到是我的伙伴们来了，便转过身对着我，一脸不解的表情。"马克斯，我以为你会帮我清理地下室呢。我不知道你约了雅克、爱琳和艾普尔。"

"我没有约他们。"我无奈地回答，"是左撇儿……"

"我们只是路过。"雅克对妈妈说道，给我打了圆场。

"要是你很忙的话，马克斯，我们可以走的。"爱琳说道。

"不，没关系。"妈妈对他们说，"马克斯刚刚还在抱怨帮我干活有多无聊呢。你们三个来了，那真是太好了。"

她回到厨房里去了。她一走开，我的三个伙伴就开始推我。

"上楼去!"雅克急切地说，指着前面的楼梯。

"我们去隐身吧!"爱琳小声地说。

"让我先来，因为我一次都没隐身过。"艾普尔说。

我想跟他们争辩，可我势单力薄，没人站在我这边。"好吧，好吧，"我犹豫着同意了。我跟着他们，走上楼梯，这时我听到门上有抓挠的声音。

我听出来了，那是白蒂，它散完步回来了。我把纱门推开，它就跑了进来，摇着尾巴。

那只狗的尾巴上沾着一些毛刺。我追着它进了厨房，让它站稳了，把那些毛刺拔了下来。接着我回到阁楼里去找我的伙伴们。

等我进入小房间，艾普尔已经站在镜子前面了，雅克站在她旁边，正准备把灯打开。

"哇塞！"我叫起来。

他们都转过身看着我。我看见艾普尔脸上有害怕的表情。"我必须马上做，不然我可能会放弃的。"她解释。

"我只是在想我们应该先把比赛规则说清楚。"我坚定地说，"这面镜子真的不是玩具，而且……"

"我们知道，我们知道的。"雅克笑着打断了我的话，"来吧，马克斯。今天不要再演讲了，好吗？我们知道你很紧张，因为你要输了。但没有理由……"

"我不想参加比赛，"艾普尔紧张地说，"我只想试试隐身的感觉，就一分钟。然后我就回来。"

"我嘛，我可要创造世界纪录。"雅克吹牛，靠在镜框上。

"我也是。"爱琳说。

"我真觉得这不是个好主意。"我对他们说，盯着镜子里的自己，"我们应该只隐身很短的时间。这太危险了……"

"真是个懦夫！"雅克摇了摇头。

"我们会小心的，马克斯。"爱琳说。

"我有一种不好的感觉。"我坦白。这时，我发现自己后脑勺的头发竖起来了，便往镜子前站近了些，用手把它弄平整了。

　　"我想我们应该同时隐身。"雅克对我说，一双蓝眼睛兴奋地闪烁着，"然后到操场上去，把你弟弟吓死!"

　　每个人都笑了，只有艾普尔没笑。"我只想试一分钟。"她坚持，"就这样。"

　　"我们先比赛，"爱琳对雅克说，"再出去吓人家。"

　　"好的，好吧!"雅克欢呼起来。

　　我决定放弃。跟雅克和爱琳辩解是不理智的，他们太期待这场比赛了。"好吧，我们快开始吧。"我对他们说。

　　"我先来。"艾普尔说，转回去对着镜子。

　　雅克伸出手去拉那根线。"准备好了吗? 我数到三。"他说。

　　我转过身去看着门，看到白蒂进来了，鼻子贴在地板上嗅着，尾巴直直地垂在后面。

　　"白蒂，你来这儿干什么?"我问。

　　它没理我，继续发狂似的嗅着。

　　"一……二……"雅克数着。

　　"我说'准备'，就把我带回来，好吗?"艾普尔问，笔直地站着，直视着镜子里面，"别开玩笑，雅克。"

　　"不开玩笑。"雅克严肃地回答，"只要你想回来，我就把灯关掉。"

　　"很好。"艾普尔轻声回答。

　　雅克重新开始数数："一……二……三!"

他一说出"三"，便拉了一下电灯线。白蒂站到艾普
尔身边。

灯亮了。

"白蒂!"我尖叫起来，"快停下!"

但已经太晚了。

随着一声吠叫，白蒂和艾普尔一起消失了。

19 隐身比赛又开始了

"那只狗!"爱琳尖叫起来。

"喂——我走了!我隐身了!"艾普尔同时欢呼起来。

我能听见白蒂的呜呜声。它好像很害怕。

"快拉电灯线!"我对雅克喊。

"现在还不到时候!"艾普尔抗议。

"快拉!"我坚持着。

雅克拉了一下电灯线。灯灭了。艾普尔首先出现了,似乎十分生气。

白蒂也出现了,它摔倒在地上,接着飞快地跳了起来,四条腿却颤动着。

它看起来真好笑,我们都开始大笑起来。

"你们在上面干什么?"妈妈的声音从楼梯那边传来,吓得我们马上安静下来,"你们在干什么?"

245

“没干什么，妈妈。”我很快回答，示意伙伴们保持安静，“我们在这儿随便走走。”

“我真不知道那个全是灰尘的老阁楼里有什么好玩的!”她喊。

我交叉起手指，祈祷她不要走上来看个究竟。

“我们只是喜欢待在这儿。”我回答。这个回答真不高明，可是我实在想不起来还能说些什么。

白蒂恢复了平衡，冲下楼梯。我听到狗的脚指头敲在木头楼梯上的声音。它跑到我妈妈那里去了。

“那不公平，”妈妈和白蒂离开后，艾普尔抱怨，“我还没待够。”

“我觉得我们应该离开这儿，”我恳求他们，“我们都不知道会发生什么事，永远都不知道会发生什么事。”

“所以这才有趣啊。”爱琳坚持着。

“我想再试一次。”艾普尔说。

我们大概争辩了十分钟。我又一次输了。

比赛就要开始了。爱琳第一个来。

“你要向十分钟挑战。”雅克指导着她。

“没问题，”爱琳说，冲着镜子里的自己做起了鬼脸，“小菜一碟。”

艾普尔又坐到了她的老位子上，背靠着后墙坐在地板上，盯着手表。我们同意她比赛结束后再试一次。

246

等比赛结束……

我站在那儿看着爱琳作准备，真希望比赛已经结束了。我感到浑身发冷，一阵强烈的恐惧感把我抓住了。

求求你，求求你，我对自己说，保佑一切平安无事。

雅克拉了一下电灯线。

爱琳消失在灯光中。

艾普尔看了一眼手表。

雅克后退了一步，把两只胳膊抱在胸前。他的眼睛里激动地闪着光。

"我看起来怎样？"爱琳调皮地问。

"从没像现在这么棒。"雅克开着玩笑。

"我喜欢你的头发。"艾普尔也开着玩笑，眼睛从手表上抬了起来。

连艾普尔也开起了玩笑，似乎玩得很开心。我为什么不能放松呢？我为什么突然这么害怕呢？

"你感觉如何？"我问爱琳。这句话几乎卡在我喉咙里。

"很好。"爱琳回答。

我听见她在房间里走来走去。

"要是你开始感到怪异了，就说'准备'，雅克就会拉灯绳的。"我说。

"我知道。"她不耐烦地回答，"可是我一定要打破纪录，再回来。"

"我下一个来。"雅克对爱琳说，胳膊依然抱在胸前。"你的纪录不会永远保持下去的。"

突然雅克放下了胳膊，两只手发狂般举到空中，然后打起自己的脸来。

"哎！停下，爱琳！"他大叫着，挣扎着，"放开我！"

我们听到爱琳大声笑着，雅克又打了几下自己的脸，最后终于挣脱了她的手。

"一分钟。"艾普尔在我们后面宣布。

"哎哟！你弄疼我了！"雅克说，皱着眉，擦着自己发红的脸颊。

爱琳又笑了。

"你感觉还好吗？"我问，看着镜子。

"很好，别担心，马克斯。"爱琳满不在乎地说。

我的 T 恤衫突然被拉出我的头，爱琳笑了。

"别玩了！"我叫着，躲到一边。

"两分钟。"艾普尔宣布。

我听到阁楼的楼梯吱嘎响着。几秒钟后，只见白蒂又把脑袋探了进来。这一次，它在门口站住了，向房间里张望着，却没进来。

"下楼去，好孩子。"我对它喊叫，"下去。"

它看着我，好像在考虑我的要求，但是它站在门口没动。

我不想让它离那面镜子太近。所以我抓住它的脖子，把它带到楼梯上。过了好一会儿，这只笨狗才明白它必须下楼去。

我回到小房间里，艾普尔刚宣布了四分钟。雅克在镜子前不耐烦地踱来踱去。我想他大概等不及了。

我发现自己在想左撇儿。左撇儿知道我打电话给每个人，把比赛取消了。他为什么给雅克、爱琳和艾普尔打电话，对他们说比赛没有取消呢？

也许只是他的恶作剧，我想。

我一定要想办法报这个仇。

想一个戏弄他的好主意……

"八分钟。"艾普尔说，伸了个懒腰。

"很好。"雅克对爱琳说，"你真的不想放弃吗？你不可能赢的。为什么不给每个人节约点儿时间？"

"你觉得还好吗？"我担心地问。

没有人回答。

"爱琳？"我叫她，四处搜寻着她，仿佛我能看到她，"你还好吗？"

没有人回答。

"爱琳——别玩了。这不好玩！"我叫喊起来。

"是呀，快回答我们！"雅克要求她。

还是没有回答。

我望着镜子，看到了艾普尔的影子，只见她一脸惊恐。"爱琳不见了。"她喃喃地说，声音微弱而惊恐。

20 雅克的隐身游戏

"爱琳——你在哪儿?"我大声地喊。

她没有回答,我冲到电灯前。我正要拉下那根线,却听到房间外面传来脚步声。几秒钟后,只见一个可乐罐在地板上滚了过来。

"想我了?"爱琳嬉笑着问。

"你吓死我们了!"我叫着,声音颤抖着。

爱琳笑了:"我不知道你们会这么关心我。"

"这可不好玩,爱琳。"雅克严肃地说,难得他跟我立场一致,"你真的吓坏我们了。"

"我渴了。"爱琳回答。可乐罐倾斜起来,我们看见可乐从里面倒出来了,液体倒进了爱琳的嘴巴,马上消失了。

"我想隐身会使人口渴。"爱琳解释,"所以我就到楼下拿了一罐可乐。"

"可是你应该跟我们说一下的。"艾普尔批评她，眼睛又瞟了一眼手表，"九分钟了。"

"你不应该下楼去的。"我急切地说，"我是说，要是被我妈妈看到了怎么办？"

"看见？"

"哦……你知道我的意思。"我咕哝了一句。

爱琳笑了。我不觉得这有什么好笑的。

为什么只有我把这一切看得这么严重呢？

爱琳打破了左撇儿的纪录，继续玩着。当艾普尔宣布过了十二分钟时，雅克问爱琳是否想回来。

没有人回答。

"爱琳？你又要跟我们开玩笑了吗？"我问。

还是没有人回答。

我感到我的喉咙又一次紧张得发紧了。我走过去拉动了灯绳。我的手颤抖着，静静地向自己祈祷爱琳平安无事地回来。

灯灭了。我们三个紧张地等着爱琳回来。

过了许久，她终于回到了我们的视线里。她飞快地从镜子前走开，脸上出现了一个胜利的微笑。"我是新冠军！"她大声宣布，举起拳头，做了个胜利的手势。

"你还好吗？"我问，还是感到恐惧。

她点了点头。"我很好，你这个自寻烦恼的人。"她在镜子前摇摇晃晃地走着。

我注视着她，她看起来似乎出现了什么变化。

她看起来很好，脸色不苍白，不像生病的样子，但就是跟平时不太一样。是她的笑容吗？还是她的头发？真希望我能知道答案。

"马克斯，快开灯。"雅克那急切的声音把我从思绪中拉了出来，"该我了，伙计。我要玩十五分钟。"

"好吧，作好准备。"我说，伸出手去抓灯链，一边看着爱琳。她向我放心地微笑了一下。

但她的笑容跟以前有点儿不一样。

有点儿。

可到底是什么不一样呢？

我拉了那根线。雅克消失在那片光亮中。

"隐身人又来了！"他用深沉的嗓音喊着。

"别这么大声。"我警告他，"我妈妈会听见的。"

爱琳在艾普尔身边坐了下来。我走了过去。"你确定你没事吗？"我问道，"你没感到发晕、怪异什么的吧？"

她摇了摇头："没有，真的没有。你为什么不相信我呢，马克斯？"

我注视着她，想知道她到底发生了什么变化。真神秘啊！我就是发现不了。

"好吧，刚才我们叫你的时候，你怎么没回答？"我问。

"什么？"她一脸吃惊的表情，"什么时候？"

"大概过了十二分钟时，"我对她说，"我叫你了，雅克也叫你了。可是你没回答我们。"

爱琳似乎陷入了沉思。"我想我没听到。"她终于回答，"可我没事，马克斯。真的，我感觉很好。真是太棒了！"

我跟她们一起坐在地板上，靠着墙，等着雅克结束比赛。"我是认真的。到了十五分钟再关灯。"他提醒我。

接着他弄乱了我的头发，把它们竖起来。

两个女孩都笑了。

我只好站起来，走到镜子前，把头发弄整齐。我不知道人们为什么会认为乱七八糟的头发很酷。我真不明白。

"喂，跟我来，我有个好主意。"雅克说，他的声音从门口传来。

"哇——坚持下去！"我叫他，听到他在阁楼里拖着脚步走。

"跟我到外面去。"他对我们喊。我们听到他向阁楼楼梯走去。

"雅克——别那样！"我恳求他，"不管怎样，都别出去！"

但他不可能听我的话。

几秒钟后，我们走出后门，跟着我们那隐身的伙伴，向邻居艾文达先生家的后院走去。

这会有麻烦的，我担心地想。会有大麻烦的。

爱琳、艾普尔和我躲在树篱后面，篱笆把我们两家的院子隔开了。跟往常一样，艾文达先生正在他的西红柿园里弯着腰拔草，他穿着 T 恤衫，肚子大大的，红红的光头在阳光里闪闪发亮。

雅克要干什么？我屏住呼吸，心情十分沉重。

接着我看见三个西红柿从地上飘了起来。它们飘到空中，飞到艾文达先生前面。

天哪，不要！我心里暗暗叫苦。

求你了，雅克，不要那么做。

爱琳、艾普尔和我在树篱后挤成一团，盯着三个西红柿在空中打转。

隐身的雅克正在玩掷球游戏。他在表现自己，跟平时一样。他总是炫耀自己的掷球技术有多高超，而我们却不会玩。

过了好一会儿，艾文达先生才觉察到了这幕情景。

当他终于看到那三个西红柿在他前面几步远的半空中转动时，他的眼睛往外鼓着，脸涨得跟西红柿一样红！

"天哪！"他大叫起来，手中的杂草掉在地上。他紧盯着旋转的西红柿，身体仿佛被钉住了一样。

雅克把西红柿抛得更高了。

艾普尔和爱琳掩住嘴，不使自己笑出声来。她们都觉得雅克的杂技表演有趣极了。可我只想让雅克回到阁楼里。

"嗨，玛丽！玛丽！"艾文达先生大声叫着他妻子，"玛丽——快出来！快来看看这个！玛丽！"

几秒钟后，他的妻子跑着穿过院子，脸上惊慌失措："迈克，怎么了？怎么了？"

"看哪……那三个西红柿在空中旋转！"艾文达先生大声叫着，向她招着手，让她快点儿。

雅克让西红柿落到地上。

"在哪儿？"艾文达太太尽力跑着，气喘吁吁地问道。

"那儿，快看！"艾文达先生用手指着。

"我没看见什么西红柿。"艾文达太太在她丈夫前面停了下来，气喘吁吁地说着。

"有的！它们在旋转！它们……"

"是那些西红柿吗？"艾文达太太指着落在地上的三个西红柿，问道。

"噢……是的。它们刚才在空中旋转，还……"艾文达先生看起来十分困惑，抓着脖子。

"迈克，你在阳光下待了多长时间了？"他妻子批评她，"我不是告诉过你要戴上帽子的吗?"

"呃……我过几分钟就回来。"艾文达先生轻声说着，低头看着那些西红柿。

艾文达太太一转身向房子走去，那三个西红柿就从地上飘了起来，又开始在空中旋转。

"玛丽，快看!"艾文达先生激动地又叫起来，"看……快! 它们又转起来了!"

雅克又让西红柿落到地上。

艾文达太太转过身，盯着空空如也的半空。"迈克，你最好和我一起进屋去……就现在。"她快速走回来，挽起艾文达先生的胳膊，拉着他走开了。可怜的艾文达先生看起来完全迷惑了，瞪着地上的西红柿，还在抓脖子。

"嗨，这简直棒极了!"雅克站在我面前，大叫着。

爱琳和艾普尔发狂般咯咯笑倒在地。我只能承认这的确很好笑。我们大笑了一会儿，接着我们偷偷地溜回了房子，回到阁楼上。

在那个安全的小房间里，我们又笑了一会儿雅克的特技表演。雅克吹牛说他是世界上第一个隐身的掷球游戏者。

接着，过了十二分钟，雅克突然不回答我们的话了。

就像爱琳一样。

我们三个一遍遍地叫着他的名字。

一片寂静。

雅克没有回答。

"我去把他带回来。"我说，恐惧感重新将我包围。我冲到那根灯绳边。

"等一下。"爱琳把我按住了。

"怎么了？"我问。

"他说要等到十五分钟以后，记得吗？"她争辩着。

"爱琳，可是他消失了！"我喊。

"可是他会很生气的！"爱琳恳求我。

"我说咱们得把他带回来。"艾普尔着急地说。

"让他待到十五分钟。"爱琳坚持着。

"不行。"我说，我拉动了灯绳。

灯关上了。

几分钟后，雅克回来了。他向我们微笑着。"多长时间？"他问，转身面向艾普尔。

"十三分二十秒。"她对他说。

他的笑容更加开心了。"新冠军诞生了！"

"你还好吗？你刚才没回答我们！"我说，端详着他的脸。

雅克看起来也不一样了。他身上不知什么地方跟以前很不一样了。可到底是什么呢？

"你怎么了，马克斯？"他问，"你为什么那样盯着我看？就好像我是从外星球来的一样？"

"你的头发，"我盯着他问，"以前就是这样的吗？"

"什么？你说什么啊？你是不是被吓坏了还是怎么的？"雅克问，转着眼珠子。

"你的头发以前就是这样的吗？"我又问了一遍，"右边剃得很短，左边留得很长？以前不是反过来的吗？"

"你犯糊涂了，马克斯。"他说，向爱琳和艾普尔咧嘴笑着，"我的头发和以前没什么两样。你一定是看那面镜子的时间太久了。"

我可以发誓，以前他的头发是左边短，右边长的。可我想雅克应该更清楚自己的头发。

"你来吗？"爱琳问，跑到我身后。

"是啊，你准备坚持到十五分钟吗？"雅克问。

我摇了摇头。"不，我真的不喜欢这样。"我跟他们说了实话，"让我们宣布雅克是冠军，离开这儿吧。"

"没门儿！"雅克和爱琳异口同声地回答。

"你一定得试。"雅克坚持着。

"别退缩，马克斯。你能打败雅克的，我知道你行的。"爱琳鼓励着我。

她和雅克把我推到镜子前。

我想往后退，可他们不让我动弹。

"不行，真的。"我说，"雅克是赢家，我……"

"来吧，马克斯!"爱琳怂恿道，"我赌你赢!"

"对，来吧。"雅克反复地说，他的手牢牢地抓着我的肩膀。

"不，请……"我说。

可是雅克伸出另一只手，拉了那根线。

21 轮到我了

　　我注视了一会儿镜子，等着那耀眼的灯光暗下去。当你的影子在镜子中消失的那一刻，总会让人吓一跳。当你注视着镜子里你本来应该出现的那个位置，意识到你正通过自己往前看的时候!

　　"你感觉如何，马克斯? 感觉怎样?"爱琳学着我的语气问。

　　"爱琳，你有毛病啊?"我生气地训她。她平时可不是这么尖刻的。

　　"就是给你尝一下你自己的药。"她回答，咧嘴笑着。

　　她的微笑看起来好像不大对劲，不太正常。

　　"也许你能打破我的纪录呢?"雅克鼓励我。

　　"我不知道，也许吧。"我犹豫地回答。

　　雅克站到镜子前，注视着自己的影子。我看着他，产生了一种非常奇怪的感觉。我不知道该怎么解释。我从来没见过雅克以这种姿势站着，那样欣赏着镜子里的自己。

什么东西跟以前不一样了，我知道这一点。但我不知道那到底是什么。

也许只是我太紧张了，我对自己说。

我只是太紧张了。也许这影响了我看待伙伴们的眼光，也许这一切都是我想象出来的。

"两分钟。"艾普尔大声宣布。

"你难道就只是那样站在那儿吗?"爱琳问，盯着镜子里面，"你不想出去走走吗，马克斯?"

"不想，我不想。"我说，"我想不起来有什么要做的。我就站在这儿等着时间过去。"

"你现在就想退出了吗?"雅克问，向我站着的地方咧嘴笑着。

我摇了摇头，接着我想起来没人能够看见。"不。我还要坚持下去。"我对他说，"既然我已经站在这儿了，我就要让你难看，雅克。"

他讽刺地笑了。"你坚持不到十三分二十秒的，"他自信地说，"不会的。"

"你知道吗?"我被他那自以为是的口气激怒了，"我就站在这儿，直到超过你。"

我就那样做了。我站在原地，靠着镜框，艾普尔数着时间。

直到她喊出十一分钟后一会儿，我感觉良好。接着，突然，那耀眼的灯光开始刺痛我的眼睛。

我闭上眼睛，但这没用。灯光变得更亮也更刺眼了，似乎横扫到我身上，将我紧紧包围，压住了我。

我开始感到眩晕，身体轻飘飘的。仿佛就要飞起来，尽管我知道自己就站在原地。

"嗨，伙计们。"我喊，"够了。"

我的声音似乎很微弱，好像是从远处传来的，在我自己听起来都是这样。

灯光围着我转动。我感到自己变得越来越轻盈，最后我只能使劲站在地板上，以免自己飘走。

我低低地惊叫了一声，突然感到一阵恐慌。

令人发寒的恐慌。

"雅克——把我带回来!"我喊。

"好吧，马克斯。没问题。"我听见雅克回答。

他似乎在几英里之外。

我在刺眼的黄色光芒中努力看着他。在那阵光芒后面，只见一个黑色的影子在迅速向镜子移动。

"我现在就把你带回来，马克斯。坚持住。"我听见雅克说。

明亮的灯光变得更亮了，刺伤了我的眼睛。即使我把眼睛闭上，灯光还是很刺眼。

"雅克，快拉灯绳！"我大声地喊。

我睁开眼睛，看到他那模糊的影子伸出手去拉那根线。

快拉，拉，拉呀！我默默地催着他。

我知道灯马上就会熄灭的。我会安全的。

只要一秒钟。

只要他一拉线。

快拉，拉，拉呀，雅克！

雅克伸出手去拉那根线。我看到他拽住了线。

接着我听到房间里有别的声音。只听一个人走进来了，响起一个吃惊的声音："你们好。你们在这儿干什么呢？孩子们，你们在做什么？"

我看见雅克的影子放下了那根线，走开了。

是我妈妈闯进来了。

22 进入镜子里面

"快……快拉灯绳!"我喊。

好像没有人听见我的喊声。

"我们在随便逛逛。"我听见雅克对我妈妈说。

"马克斯在哪儿?"我听见她问,"你们是怎么找到这个小房间的?你们到底在这里干什么?"她的声音似乎是从非常非常遥远的下水道里传出来的。

在灯光下,整个房间开始晃动起来,一闪一闪的。我紧紧地抓住镜框,挣扎着不使自己的身体离开地面。

"你们听得到我吗?"我大声地喊,"求你们了,快点儿拉线吧!把我带回来!"

在摇曳、晃动的灯光里,他们变成了一些灰色的影子。他们似乎没听见我的话。

我紧紧地抓着镜框,看见有个影子走近了镜子。是我妈妈，她围着镜子走着，欣赏着。

"我不敢相信，我们从来不知道这个房间。这面镜子是哪儿来的?"我听见她问。

她站得离我这么近。他们都离我很近。

他们离我这么近，却又这么远。

"请把我带回来!"我高声喊。

我聆听着是否有人回答，但是我的声音消逝了。

影子们晃动起来，形成模糊的一片。我想伸出手去够他们，但他们都太远了。

我放开了镜框，身体开始往上飘起来。

"妈妈，我就在这儿。你听不见我说话吗? 你不能想想办法吗?"

我变得如此轻盈，似乎完全失去了重量，在镜子前飘浮起来。

我的两只脚已经离开地面。在那片刺眼的灯光中，我看不见自己的脚。

我飘到镜子前，就在灯光下面。

我能感到灯光把我拉得更近了些。

最后它把我拉到镜子里去了。

现在，我知道自己已经在镜子里面了，在一片闪烁的彩色光圈里面了。各种各样的形状闪着光，汇集到一起，就像地下水一样。

我在一片闪烁的光线和颜色中飘着，从我的伙伴们身边、从我妈妈身边、从这个小房间静静地飘走了。

　　飘到镜子里面去了。

　　飘到一个起伏着、翻滚着光线和色彩的世界里去了。

　　"救救我!"我喊。

　　可是我的声音被那些模糊的跳动着的色彩淹没了。

　　"把我带回去! 把我带回去!"

　　我在那片闪烁的世界里飘得更深了，我几乎听不见自己的话。

　　我深深地进入了镜子，还在继续往深处飘着。

　　各种颜色变成了灰色和黑色。这里很冷，像玻璃一样冷。

　　当我飘到更深处，灰色和黑色也消失了。现在只剩下一片白色，周围白茫茫的一片。我眼睛所能望到之处，没有影子，只有一片纯白。

　　我笔直地盯着前方，不再叫喊。我已经害怕得叫不出声了，被自己进入的那个寒冷的象牙般的世界迷惑了。

　　"你好，马克斯。"一个熟悉的声音说。

　　"啊!"我叫了出来，发现这里不是只有我一个人。

23 和我的影子对峙

我发出一声惊恐的尖叫。我想说点儿什么，但我的大脑似乎已经瘫痪了。

那个影子静静地穿过那寒冷的白色世界，迅速向我靠近。他向我微笑着，一个怪异、熟悉的微笑。

"是你！"我终于叫出了声。

他在我几步外停了下来。

我难以置信地盯着他。

我是在盯着自己。是我自己。他正在向我微笑着。那个微笑就像包围着我们的玻璃一样冷冰冰的。

"别害怕。"他说，"我是你的影子。"

"不！"

他的眼睛——我的眼睛——贪婪地盯着我，就像一条狗盯着一块多肉的骨头。我惊恐地尖叫起来，他却笑得更

267

开心了。

"我一直在等你。"我的影子说，他的眼睛紧盯着我。

"不!"我又喊了一遍。

我转过身去。

我知道自己必须离开这儿。

我开始跑起来。

但我马上停住了脚步，只见前面出现了许多张人脸。仿佛哈哈镜照出了几十张五官扭曲、表情难过的脸，大大的眼睛往下垂着，小小的嘴巴紧紧地撅着。

这些脸仿佛就在我前面。那些眼睛瞪着我，小小的嘴唇飞快地蠕动着，似乎在叫我、警告我，让我走开。

这些人是谁？这些脸是谁的？

他们为什么和我一样在镜子里？

为什么他们那扭曲的脸上表现得那么痛苦？

"不!"

我突然认出了其中两张飘着的脸，倒抽了口冷气。那两张脸的嘴巴正发狂地蠕动着，眉毛飞快地一上一下。

他们是爱琳和雅克吗？

不是。

那是不可能的，是吗？

我紧紧地盯着他们。他们的嘴巴为什么发疯般蠕动？他们是想告诉我什么吗？

"救救我!"我叫。但他们好像没听见我。

那几十张人脸上下移动着,飘浮着。

"救救我——求求你们!"

接着我发现自己的身体转了过来。我盯着自己影子的眼睛。他抓住我的肩膀,让我站稳了。

"你不会离开这儿的。"他对我说,他的声音在这片沉寂中回响着,如冰柱刺着玻璃。

我想挣扎出来,但他抓得太紧了。

"要离开的是我。"他对我说,"我在这里等得太久了。自从你把灯打开后,我就一直在等你。现在我可以从这儿出去了,跟其他人在一起了。"

"其他人?"我喊起来。

"你的伙伴们很快就屈服了。"他说,"他们没有抵抗,很快就换过来了。现在你和我也要互换角色了。"

"不!"我尖叫起来,我的叫声在这冰冷的世界里回响着,似乎传到几英里之外。

"你为什么这么害怕?"他问,把我转了过来,手依然抓着我的肩膀,把我的脸贴近他的脸,"你这么害怕你的另一面吗,马克斯?"

他紧紧地盯着我。"我就是这样的,你知道。"他说,"我是你的影子,你的另一面,你冷冰冰的一面。别怕我。你的伙伴们都不害怕,他们没怎么挣扎就和他们的影子换过来了。现在他们就在镜子里面，而他们的影子……"

他没有说下去。他没必要继续说下去。我知道他要说什么。

现在我知道爱琳和雅克究竟是怎么回事了。现在我明白他们为什么看起来不太一样了。他们被掉包了。他们是他们自己的影子。

现在我明白了，为什么他们要把我推到镜子里来，为什么他们要逼我也消失。

我知道，如果自己不想个办法，我的影子就会和我交换位置的。我的影子会进入阁楼，而我则会永远被困在这面镜子里，永远和这些难过的、上下跳动的脸困在这里。

可是我能怎么做呢？

我盯着自己的影子，决定拖延时间，向他问问题，给自己点儿时间思考。

"这面镜子是谁的？是谁造出来的？"我问。

他耸了耸肩："我怎么知道？我只是你的影子，知道吗？"

"可是怎么会……"

"时间到了。"他急切地说，"不要想用愚蠢的问题来拖延时间了。我们该对调了。该由你来做我的影子了！"

24 逃出

我躲开了。

我开始奔跑起来。

那些难过的、扭曲的脸在我前面盘旋着。

我闭上眼睛，躲开他们。

我不能思考，也不能呼吸。

我的两条腿有节奏地往前跑着，两条胳膊甩动着。这里很清澈，也很明亮，我分不清自己到底是不是在跑动。我的脚碰不到地板。这里没有墙，也没有天花板。我跑的时候，并没有空气吹着我的脸。

可是我的恐惧推动着我继续往前跑着。在这片清澈、寒冷、闪烁的光线中奔跑着。

他在后面追着。

我听不见他的声音。

271

他没有影子。

可是我知道他就在我后面。

我知道只要被他抓住，我就完了。就会永远被锁在这个空虚的世界里，什么都看不见、听不见、闻不到，也触摸不到任何东西，永远被关在这个寒冷的玻璃世界里。

又飘来了一张沉默、跳动着的脸。

我继续跑着。

直到各种色彩再次出现。

直到灯光形成了各种形状。

接着我看见许多影子在我前面移动着，跳跃着。

"停下来，马克斯！"我听见自己的影子在我身后叫喊，"马上停下来！"

可是现在他听起来很着急。

所以我继续往前跑着，跑进各种颜色和移动着的形状里。

突然，雅克把灯关掉了。

我从镜子里冲了出来，冲到阁楼的小房间里，冲进一个充满声音、色彩，有着结实表面和真实事物的世界里——真实的世界里。

我站了起来，喘着粗气，调整着自己的呼吸。我试了试两条腿，重重地踩到结实的地板上。

我转过身看着我的伙伴们，他们站在我前面，脸上都是一副担惊受怕的表情。我的妈妈一定已经回到楼下去了。

"你换过来了吗?"雅克急切地问我,眼睛里兴奋地闪着光。

"你和我们一样吗?"爱琳同时问我。

"不。"一个声音——是我的声音——从我背后传来。

我们都盯着镜子。

镜子里,我的影子,脸儿红红的,正把两只手按在玻璃上,生气地注视着我们。"他逃走了。"我的影子对我的伙伴们说, "我没有换成。"

"我听不明白!"我听见艾普尔叫道, "这是怎么回事,伙计们?"

雅克和爱琳没理她。他们飞快地走过来,抓住了我的胳膊,粗鲁地把我转了过来。

"我没有换成。"我的影子在玻璃里面重复地说。

"没问题。"爱琳对他说。

她和雅克逼我站到镜子前。

"你又得进去了,马克斯。"雅克激动地说。

他伸出手,拉了一下灯绳。

25 "来一个快球"

灯亮了。

我隐身了。

我的影子保持着刚才的姿势，张开的手掌从里面按着玻璃，紧盯着外面。

"我在这里等你，马克斯。"他说，"几分钟后，你就会待在我这儿了。"

"不!"我叫，"我要走了，我要去楼下。"

"不，你走不了的。"我的影子摇了摇头，"爱琳和雅克不会让你跑掉的。可是不要这么害怕，马克斯。这不会疼的，真的。"他微笑了。是我自己的微笑，但是却很冷酷，残酷。

"我不明白。"艾普尔站在门口抗议，"有人能告诉我这是怎么回事吗?"

"你以后会明白的，艾普尔。"爱琳安慰她。

我该怎么办？我疑惑着，惊得呆住了。

我能怎么做呢？

"只要再过几分钟。"我的影子平静地说，他已经开始庆祝他的胜利，他的自由。

"艾普尔，帮帮我！"我高声地喊。

听到我的喊声，她转过身来："什么？"

"去找人帮忙！下楼去，找人来帮忙！快点儿！"我尖叫起来。

"可是……我不明白……"艾普尔犹豫着。

爱琳和雅克过去挡住了她的路。

但是门突然开了。

我看见左撇儿站在门口，向里面张望着。他看见了我的影子。

他一定以为那个影子是我。

"快想办法啊！"他叫，把一个垒球扔了过来。

垒球扔到了镜子上。

我看到了左撇儿脸上吃惊的表情。接着我听见咔嚓一声，镜子裂开了，成了碎片。

我的影子似乎来不及反应，就被粉碎成了玻璃碎片，摔倒在地板上。

"不！"爱琳和雅克尖叫起来。

我脱离了隐身状态，这时爱琳和雅克的影子离开地板飘了起来。他们被吸进了那面破碎的镜子——他们一直尖叫不已——就好像被一个强有力的吸尘器吸进去了似的。

　　那两个影子尖声叫着飞进了那面镜子，然后似乎被撕裂成了几百片小碎片。

　　"哇塞！"左撇儿大声叫，用力抓着门，把全身都靠在门框上，挣扎着不使自己被吸入房间。

　　接着，爱琳和雅克膝盖着地，落到地板上。他俩看起来很茫然，迷惑不解地瞪着散落在周围地板上的那些镜子碎片。

　　"你们回来了！"我高兴地喊，"真是你们！"

　　"是的，是我。"雅克说，摇摇晃晃地站了起来，接着转身帮爱琳站起来。

　　那面镜子已经碎了。影子们都消失了。

　　爱琳和雅克环视着房间，依然摇摇晃晃，站立不稳，一片迷茫。

　　艾普尔盯着我，完全不知所措。

　　左撇儿依然站在门外，摇着头。"马克斯，"他说，"你应该把球抓住的，很容易抓住。"

　　爱琳和雅克回来了。他们很安全。

　　没花多长时间，一切就都恢复正常了。

我们把一切都尽可能仔细地向艾普尔和左撇儿解释了一遍。

艾普尔回家了。她必须照顾自己的小妹妹。

爱琳和雅克——真实的爱琳和雅克——帮我清理了那些玻璃碎片。接着我们把小房间的门关上了。我把门闩上得紧紧的，我们还搬来一些箱子，把它们叠放在门口，把门堵得严严实实的。

我们知道我们永远也不会再进去了。

我们发誓永远不把发生在那个小房间里的魔镜隐身事件告诉任何人。然后爱琳和雅克回家去了。

后来，左撇儿和我在后院里闲逛着。"真可怕。"我耸了耸肩，对左撇儿说，"你想象不到那有多可怕。"

"听起来确实很可怕。"左撇儿心不在焉地回答，用两只手抛着垒球，"可是起码现在一切都没事了。想玩会儿抛球游戏吗?"

"不玩了。"我摇了摇头，我没心情玩，可是我又改变了主意，"也许这可以让我换换脑筋，忘记早上发生的事情。"我说。

左撇儿把球抛给我。我们在车库后面小跑着玩着。我们一般都在那里玩抛球游戏。

我把垒球抛还给他。

我们都玩得很开心。

277

五分钟过去了。

后来……

后来，我停了下来，呆住不动了。

我的眼睛在跟我开玩笑吗？

"来一个快球。"他说，把球抛给我。

不对，不对，不对。

球从我身边射了出去，我张嘴傻瞪着。

我甚至没去接球。我动不了了。

我只是惊恐地瞪着前方。

我弟弟是用右手抛的球！

毛孩奇遇

（精彩片段）

9 读书笔记课上

"啊?"我抽了口凉气，心狂跳了一下，"你的手上长毛了?"

丽丽神色严峻地点点头。她凑过来，羊毛滑雪帽下面的蓝眼睛和绿眼睛都一动不动地看着我。

"我的手上长出了毛，"她边走边小声说道，呼出的气在寒冷的空气中变成了白雾，"然后我的胳膊、我的腿、我的背上也长出了毛。"

我压抑地喊了一声。

"然后我的脸变成了狼脸，"丽丽继续说，眼睛仍然一眨不眨地注视着我，"然后我跑到外面的树林里，对着月亮嗥叫，就像这样。"她仰起脑袋，发出一声长长的哀号。

"后来我在树林里发现了三个人，我把他们都吃掉了!"丽丽大声说，"因为我是个狼人!"

她朝我咆哮，龇牙咧嘴，然后她忍不住大笑起来。

我感到自己脸上火辣辣的。

丽丽开玩笑地狠狠推了我一下，我失去平衡，差点儿摔倒在地。

丽丽笑得更厉害了。"你竟然相信了……是不是，拉利！"她责怪道，"你竟然相信了这个愚蠢的故事！"

"才不是呢！"我嚷道，我的脸上像着了火似的，"才不是呢，丽丽，我当然没有相信你！"

然而，我确实相信了她的故事，一直到她说她吃掉了三个人。

这时我才终于发现她是在开玩笑，是在逗我玩。

"长毛拉利！"丽丽唱了起来，"长毛拉利！"

"住嘴！"我气愤地喊道，"这不可笑，你知道吗？一点儿也不可笑！"

"那么，是你可笑喽！"她反驳道，"可笑的模样！"

"哈哈！"我讥讽地回答。我转身大步流星地穿过马路，想躲开她。

"长毛拉利！"她大喊着追了过来，"长毛拉利！"

我踩在冰面上一滑。我赶紧稳住身子，可是背包从肩头滑落，砰的一声掉在马路上。

等我弯腰把包捡起来，丽丽已经站在我身边。"你昨天晚上长出毛来了，拉利？"她问道。

"什么？"我假装没有听清她的话。

"你的手背上长出毛来了？所以你才问我的？"丽丽凑过来问道。

"才不是呢，"我嘟囔道，我把背包甩上肩头，继续往前走，"才不是呢。"我又说了一遍。

丽丽大声笑道："你是不是个狼人啊？"

我也装做笑了起来。"不是啊，我是个吸血鬼。"我回答。

我真希望能把实话告诉丽丽，我真的想跟她说说那片丑陋的黑毛。

可是我知道她绝不会替我保密。我知道她会张扬得全校同学都知道，然后，我认识的每个人都会一辈子管我叫"长毛拉利"！

在她面前说谎，我感到很难过。我的意思是，她是我最好的朋友啊。

可是我能怎么办呢？

我们继续往学校走，一路上没有再说什么。我不停地扫一眼丽丽，她的脸上挂着最最古怪的笑容。

预告

石洞幽灵

（精彩片段）

4 粉白枯骨草

　　我抬头望着头顶上浓密的绿叶华盖："我们肯定已经到了树林深处，你确定阿加莎说在这里能找到它们吗？"

　　苔莉点了点头。她指着一棵倒在地上的大橡树："这就是我们的路标，别让它消失。"

　　我朝大橡树走去。"我想过去仔细看看，"我说，"说不定那棵枯树上长着水晶兰呢。"

　　我跪在蛇一般的树根旁，开始仔细地把枯叶扒拉到一边。没有野花，只有各种各样的虫子。真丑陋。

　　我回头看了看苔莉，她的运气好像也不怎么样。

　　就在这时，我眼角的余光发现地里冒出个白色的东西，我赶紧跑过去查看。

　　一棵矮矮的梗子从松软的泥土里探出头来，梗子上长着一些卷曲的叶子。我拔了拔梗子，拔不动。

我更加用力地拔。

梗子松动了一点，带出了一小团松软的泥土。

我这才发现这不是梗子，而是一种树根，一种带叶子的树根。

真怪啊。

我又把它往外拔了拔，我发现它很长。

用力一拔，再拔。

我揪住这奇怪的根，使出全身力气猛地一拔，带出了一大团泥土。

我低头看着地上露出的大洞——发出一声尖厉的喊叫。

"莒莉——快过来！"我总算说出话来，"我发现了一具骨架！"

入口
隐身魔镜记

弗洛12岁了，他觉得一点都不开心，也不感到幸福。

"把零花钱交出来！"每次上学路上，富家大小姐美惠几乎都要拦住他，而懦弱的弗洛只得照办，也不敢告诉老师和家长。由于整天提心吊胆，原本成绩不错的他，对待学习也渐渐心不在焉，老师很不满意，便给弗洛的爸爸打了电话……

"唉……回去难免一顿打骂。"午休时，弗洛委屈地往家里慢慢走着，眼睛忽然被远处的亮光晃了一下。他暂时忘了忧虑，向亮光走去。只见地上有一面看起来很普通的镜子，旁边还有一张小纸条。

"这是一面奇异的魔镜。对着镜子说出：'让我隐身吧！'你就能获得隐身的能力。请注意，第一次使用可以让你隐身1小时，第二次使用隐身6小时，第三次使用，也就是最后一次使用，将会让你永远隐身，再也不能被人看到了。"弗洛打开纸条，发现上面写着这样的话。

这一定是什么人的恶作剧吧？弗洛一边想，一边禁不住好奇，拿起了魔镜。在家门口，望见爸爸生气的面孔，弗洛无奈之中对着镜子说："让我隐身吧！"这时候，他惊讶地发现，镜子里的脸孔消失了……

弗洛硬着头皮走进屋里，可爸爸根本没有看到他，还在自顾自地生气。这太神奇了！完全出乎意料，他沉浸在惊讶之中。

弗洛急忙跑回学校，路上抓了一只大螳螂，准备放在美惠的文具盒里吓她一跳。可他刚一打开文具盒，就被美惠抓住了！"你要干什么？"美惠嚷道，并扇了弗洛一个耳光。原来1小时的隐身时间到了，弗洛几分钟前就现身了。

愤怒的弗洛在没人的角落里，第二次使用了魔镜，按照说明书的解释，这一次隐身时间是6小时。他用剪子悄悄地戳破了美惠的鞋，还趁她瞌睡的时候，把她的头发剪得乱七八糟。那些以前欺负过弗洛的同学，都在这一天里莫名其妙地倒霉了。他还偷偷地回到家，从收入不菲却吝啬的爸爸的钱包里拿钱买了零食和玩具。总之，这是一个快乐的下午，他无忧无虑、不受约束地度过了6个小时。

然而，放学时间到了，父母既着急又生气，他们到处找弗洛，可老师们也不知道他去了哪里，他像是人间蒸发了！即使现身了，弗洛也不敢回家，他害怕父母会更加严厉地责打他。他也不敢去找老师，因为他无法解释自己下午没去上课的理由。天黑了，他感到有点害怕，更感到有些孤独。如果他总是隐身，那么他的朋友们也无法与他一起玩了。

隐身的新奇和快乐，仍然在吸引着他。他可以无忧无虑地想干什么就干什么！没有人能够约束他，没有人能够欺负他，他可以得到一切想要的东西！

问题是，说明书上写得很明白，第三次使用魔镜，也是最后一次使用，他将永远隐身，再也不能被人看到了！

那么，各位聪明的小读者，如果你是弗洛，你该怎么办呢?

　　A. 砸碎魔镜，再也不去使用它了!

　　B. 最后一次使用它，寻找永远隐身的快乐!

　　解析：如果命运可以挑选，我相信每个人都会作出快乐、开心和幸福的生活选择：慈祥的父母、和蔼的老师、优秀的同学与朋友，以及一帆风顺的成长历程。可惜，命运是无法作出选择的，更多的时候，我们要在无奈的困境下努力学习，顽强拼搏，不断增长自己的能力与才干。对于我们每一个人来说，是正视现实，还是否认现实，把自己藏在幻想中，是个至关重要的问题。

　　答案A：相信你也曾犹豫过，隐身的乐趣毕竟太诱人了，可你仍然选择正视现实。面对强硬的父母，你可以选择合适的沟通；面对误解你的老师，你可以理直气壮地说明理由；面对欺人太甚的美惠，你可以勇敢反抗。生活中没有什么困难是解决不了的，唯一的难题就是你能不能鼓起勇气去面对困难，然后下定解决困难的决心！面对现实，你要展现出一种勇敢积极的态度，而最终战胜困难，战胜自己，将会带给你无法比拟的成就感！

　　答案B：毫无疑问，现实中并没有任何证据表明，人真的可以隐身。我想，你所选择的生活也并不只是简单隐身。也许弗洛的生活跟你的有些相似，你也曾面对父母的责骂、老师的误解或同学的欺负。不过请相信，这是大多数孩子成长过程中都要面对的问题。逃避这些问题并不能真的解决问题，把自己放在幻想的小空间，也不会使现实生活变得快乐起来。那么，你该怎么办呢？请认真想想这个问题，试着从身边的点滴做起，只要努力，总会开心起来的！

　　本测试题由著名心理咨询师、原中央教育科学研究所心理研究员孙靖（笔名：艾西恩）设计。

情报站

1995年 "鸡皮疙瘩系列丛书"改编成电视
剧,在美国连续四年收视率第一

1995年 "鸡皮疙瘩主题乐园"落户美国迪斯
尼乐园

1995年 R.L.斯坦获选美国《人物》周刊年
度最有魅力人物

2003年 "鸡皮疙瘩系列丛书"被吉尼斯世界
纪录大全评定为销量最大的儿童系
列图书

2007年 R.L.斯坦获得美国惊险小说作家最
高奖——银弹奖

2008年 "鸡皮疙瘩系列丛书"电影改编版权
被美国哥伦比亚电影集团公司买断并
将翻拍成好莱坞大片

桂图登字:20－2008－017

图书在版编目（CIP）数据

金字塔咒语·隐身魔镜／（美）斯坦（Stine，R.L.）著；蒋向艳译.—南宁：接力出版社，2008.9
（鸡皮疙瘩系列丛书：升级版）
书名原文：The Curse of the Mummy's Tomb·Let's Get Invisible
ISBN 978－7－5448－0416－5

Ⅰ.金…　Ⅱ.①斯…②蒋…　Ⅲ.儿童文学－长篇小说－作品集－美国－现代　Ⅳ.I712.84

中国版本图书馆CIP数据核字（2008）第128307号

总策划：白　冰　黄　俭　黄集伟　郭树坤　　总校译：覃学岚
责任编辑：冯海燕　　　美术编辑：郭树坤　卢　强
责任校对：刘会乔　　　责任监印：刘　签
版权联络：钱　俊　　　媒介主理：常晓武　马　婕

社长：黄　俭　　　总编辑：白　冰
出版发行：接力出版社
社址：广西南宁市园湖南路9号　　邮编：530022
电话：0771-5863339（发行部）　　　010-65545240（发行部）
传真：0771-5863291（发行部）　　　010-65545210（发行部）
网址：http://www.jielibeijing.com　http://www.jielibook.com
E-mail:jielipub@public.nn.gx.cn

经销：新华书店

印制：北京明月印务有限责任公司
开本：850毫米×1168毫米　　1 /32
印张：9.875　　字数：190千字
版次：2008年9月第1版　　印次：2011年2月第7次印刷
印数：95 001—105 000册
定价：18.00 元